ŻYDZI POLSCY
Dzieje i kultura

Marian Fuks, Zygmunt Hoffman,
Maurycy Horn, Jerzy Tomaszewski

ŻYDZI POLSCY
Dzieje i kultura

Wydawnictwo Interpress Warszawa 1982

Opracowanie graficzne
Krzysztof Racinowski

Redaktor
Anna Broniarek

Redaktor techniczny
Elżbieta Szeszko

Korektor
Anna Semeniuk

Autorzy zdjęć: J. Chodyna, J. Grelowski, M. Kalinowski, M. Krajewska, J. Morek, T. Prażmowski

Dzieła sztuki reprodukowane w książce pochodzą ze zbiorów:
Żydowskiego Instytutu Historycznego w Polsce, Muzeum Judaików w Krakowie, Muzeum Narodowego w Warszawie, Muzeum
Sztuki Nowoczesnej w Łodzi

Dwa tysiące pierwsza publikacja Wydawnictwa Interpress. Książka ukazuje się również w językach: angielskim i niemieckim

Copyright by Polska Agencja Interpress

ISBN-83-223-2001-9

Widawnictvo Interpress. Warszawa 1982
Nakład 40.000 egz. Wydanie I
Ark. wyd. 25. Ark. druk. 24,5
Cena zł. 1.080 egz.
Skład wykonały Presowe Zakłady Graficzne we Wrocławiu
Druk i oprawę, wykonano w Jugosławii: Jugoslavijapublik, Beograd, Mladinska knjiga, Ljubljana

SPIS TREŚCI

WSTĘP

Oddajemy do rąk Czytelników książkę wyjątkową i niezwykłą. Jest ona poświęcona kulturze świata, który już nie istnieje. Chociaż żyją jeszcze wśród nas ludzie pamiętający ten świat — należy on do przeszłości zburzonej tragicznymi wydarzeniami drugiej wojny światowej. Ta przeszłość jednak nie zginęła bez śladu — pozostawiła bogactwo pamiątek i skarbów kultury.

Żydzi polscy! Wśród Żydów rozproszonych w osiemdziesięciu krajach świata, zajmowali oni i zajmują nadal miejsce szczególne. To przecież we Wschodniej Europie, a przede wszystkim na ziemiach polskich — ukształtowała się owa specyficzna i wyjątkowa kultura żydowska we wszystkich jej aspektach, przejawach i niuansach, kultura sakralna i świecka.

Druga wojna światowa zadała straszliwy cios żydostwu polskiemu i jego kulturze. Zginęło ponad trzy miliony Żydów polskich, ale w znacznym stopniu ocalał ich wielowiekowy dorobek kulturalny. Hitleryzm zniszczył wiele bezcennych obiektów kultury żydowskiej, zburzył zabytkowe świątynie z ich osobliwą bogatą ornamentyką, spalił księgi, rękopisy, starodruki, arcydzieła rzeźby, malarstwa, grafiki, zrujnował domostwa z bogactwem przedmiotów życia codziennego i obyczajowości Żydów. Ale nie zdołał zniszczyć przeszłości Żydów polskich; ostała się ona w literaturze — w prozie i w poezji, w piśmiennictwie naukowym i religijnym, w ocalałych rocznikach prasy od XVIII w. do drugiej wojny światowej, ostała się w dramatopisarstwie i bogatej literaturze teatralnej, w malarstwie i w muzyce.

Żydzi polscy! Określenia tego używają Żydzi na całym świecie jako wyznacznika osobliwej społeczności, która wywarła wpływ na kulturę, a nawet na mentalność Żydów omal na całym świecie. Na kuli ziemskiej żyje dziś około piętnastu milionów Żydów. Mieszkają na wszystkich kontynentach. Nie jest chyba przesadą stwierdzenie, że z tych piętnastu milionów — przynajmniej połowę łączą emocjonalne więzi z żydostwem polskim.

Życie Żydów we Wschodniej Europie, a więc i na ziemiach polskich — nie było usłane różami. Odmienność religii, ubioru, obyczajów i stylu życia budziły niechęć a nawet wystąpienia antyżydowskie. Często solą w oku był spokojny, solidny tryb życia żydowskiego i talenty tego narodu. Zachowywali jednak lojalność wobec kraju, w którym żyli od wieków i którego byli szczerymi patriotami czemu wyraz dawali także daniną swojej krwi w walkach o niepodległość Polski.

Niejednokrotnie w czasie różnych zawieruch dziejowych Żydzi opuszczali Polskę. Opuszczali kraj, ale zostawała nostalgiczna tęsknota za tym wszystkim, co ich z tym krajem łączyło i łączy nadal.

Emigracja rozsiała Żydów polskich po wszystkich kontynentach. Przywozili ze sobą obyczajowość i kulturę Żydów polskich, coś co nie opuszczało ich do śmierci i pozostało w życiu ich potomków. Bo przecież polscy są wszyscy niemal najwięksi klasycy literatury żydowskiej. Któż bowiem uwiecznił i przekazał potomności przeszłość i klimat żydowskich miasteczek w Polsce, jak nie: Icchak Lejb Perec, Szalom Asz, Szalom Alejchem i dziesiątki innych pisarzy, aż po laureata nagrody literackiej Nobla — Izaaka Bashevisa Singera, rodem z Radzymina pod Warszawą.

Nie będziemy tu wymieniać wszystkich pochodzących z Polski wybitnych przedstawicieli życia politycznego i społecznego, uczonych, pisarzy, artystów, licznych laureatów Nobla. Wielu wybitnych Żydów lub osobistości żydowskiego pochodzenia wywodzi się ze Wschodniej Europy, a najczęściej właśnie z ziem Królestwa Polskiego, Galicji, Wielkopolski, Pomorza czy też Polski okresu międzywojennego.

A ileż prostych ludzi, Żydów polskich, kupców, rzemieślników, robotników, uczonych i artystów — rozsianych po świecie do dziś manifestuje swoje więzi z krajem pochodzenia, z Polską. Najlepszym świadectwem tego jest istnienie około 400 stowarzyszeń Żydów Polskich. Przejawiają te stowarzyszenia żywą działalność, wydają *Księgi pamiątkowe* tzw. *Pinkasy*, do których z wielką starannością zbierają różnorodne materiały, dokumenty, relacje, wspomnienia, pamiętniki, dzienniki, opisy i wszystko to, co dotyczy tak czasów najdawniejszych, jak i okresu międzywojennego, aż po czasy okupacji hitlerowskiej, gett, obozów zagłady. Wydają także własne czasopisma m. in. wydawany w Nowym Jorku „Białystoker Sztyme".

Właśnie dla nich książka, którą oddajemy do rąk Czytelników, będzie chyba lekturą nie tylko interesującą, o co w miarę swoich sił i wiedzy postarali się autorzy, ale także serdeczną i wzruszającą. Również dla innych Czytelników, którym dzieje Żydów polskich kojarzą się z zamierzchłą niemal przeszłością — powinna to być lektura interesująca.

LUDNOŚĆ ŻYDOWSKA W POLSCE
DO KOŃCA XVIII WIEKU

Najdawniejsze wiadomości źródłowe o osadnictwie żydowskim w Polsce pochodzą dopiero z końca XI w. Powszechnie uważa się jednak, że Żydzi przybyli na ziemie polskie znacznie wcześniej. Teoria, według której znaczna liczba wyznawców judaizmu przybyła do Polski ze wschodu po upadku około 965 roku państwa chazarskiego nie ostała się wobec naukowej krytyki.

Pierwszymi Żydami, którzy w okresie tworzenia się państwowości polskiej zjawili się w kraju nad Wisłą i Odrą byli kupcy zwani w źródłach Radanitami. Jednym z nich był autor pierwszej obszernej relacji o Polsce Ibrahim Ibn Jakub, który latem 965 lub 966 roku odbył podróż w celach handlowych i dyplomatycznych z rodzinnego miasta Toledo w opanowanej przez Arabów Hiszpanii do Cesarstwa Niemieckiego i krajów słowiańskich.

W okresie rozbicia dzielnicowego rozwój miast i stosunków towarowo-pieniężnych stworzył warunki dla liczniejszego osiedlania się w Polsce ludności żydowskiej. Zwiększony napływ Żydów wywołany był jednak głównie ich prześladowaniami w Europie Zachodniej, nasilającymi się w okresie wypraw krzyżowych. Pierwsza wzmianka źródłowa dotyczy przybycia do Polski w 1097 lub 1098 roku Żydów wygnanych z Pragi czeskiej. Przybysze żydowscy z Czech a także z Niemiec osiadali głównie na Śląsku. Zajmowali się tu handlem i uprawą roli, byli także właścicielami ziemskimi. Do połowy XIV w. osiedli w co najmniej 35 miastach śląskich. W wolniejszym tempie rozwijało się w tym czasie osadnictwo żydowskie w pozostałych dzielnicach Polski. Dopiero z 1237 roku pochodzi pierwsza wzmianka źródłowa o zwartym osadnictwie Żydów w Płocku, z 1287 roku o gminie żydowskiej w Kaliszu, a z 1304 roku o ulicy Żydowskiej w Krakowie.

Wcześniej, bo w okresie rządów Mieszka III, księcia Wielkopolski (1138—1202) i władcy całej Polski (1173—1177 i 1198—1202), Żydzi pracowali w jego mennicy jako rytownicy stempli i zarządcy techniczni pracy menniczej całego personelu. Mincerze żydowscy pracowali również do 1206 roku na zlecenie innych współczesnych książąt polskich; Kazimierza Sprawiedliwego, Bolesława Wysokiego i Władysława Laskonogiego. Ze srebra najczystszej próby bili oni monety zwane brakteatami, na których umieszczali napisy w języku hebrajskim.

W 1264 roku jeden z następców Mieszka III na tronie wielkopolskim Bolesław Pobożny nadał Żydom przywilej zwany statutem kaliskim. Zgodnie z tym przywilejem wzorowanym na podobnych przywilejach: austriackim, czeskim i węgierskim, Żydzi zostali wyjęci spod sądownictwa sądów miejskich i kasztelańskich i poddani sądownictwu książęcemu. Przywilej zagwarantował Żydom swobodny handel i prawo prowadzenia operacji kredytowych, ograniczonych jednak tylko do pożyczek pod zastaw nieruchomości. Statut kaliski, który określał Żydów jako „niewolników skarbu", zapewniał im bezpieczeństwo życia, ochronę mienia osobistego oraz swobodę praktyk religijnych. Żydzi uzyskali możliwość urządzenia swego życia wewnętrznego na zasadzie samorządu gmin żydowskich. Podobne przywileje nadali Żydom również książęta śląscy: książę wrocławski Henryk Probus w latach 1273—1290, Henryk głogowski w latach 1274 i 1299, Henryk legnicki w latach 1290—1295 i Bolko legnicko-wrocławski w roku 1295.

Korzystne dla Żydów przywileje książąt polskich wywołały kontrakcję ze strony kleru. W 1267 roku synod wrocławski wzorem synodów odbytych wcześniej w państwach zachodnich uchwalił tworzenie dla Żydów oddzielnych, izolowanych od chrześcijan dzielnic oraz noszenie specjalnych odznak. Żydom zabroniono sprawować urzędy, zajmować stanowiska, na których podlegaliby im chrześcijanie oraz budować więcej świątyń w jednym mieście niż jedną. Uchwały te, mimo powtórzenia ich przez synody w Budzie w 1279 roku i Łęczycy w 1285 roku, nie weszły praktycznie w życie wobec korzyści, jakie działalność gospodarcza Żydów przynosiła książętom.

Na przełomie XIII i XIV w. w Polsce zostało przezwyciężone rozbicie dzielnicowe. W zjednoczonym na nowo królestwie wzrastała rola miast i mieszczaństwa. Zainteresowani dalszym rozwojem stosunków towarowo-pieniężnych władcy polscy popierali imigrację Żydów. W rzędzie tych władców wymienić należy przede wszystkim Kazimierza Wielkiego, który już w rok po objęciu rządów, bo w 1334 roku potwierdził Żydom wielkopolskim przywilej Bolesława Pobożnego z 1264 roku. Zostali oni wyjęci spod prawa niemieckiego i poddani jurysdykcji wojewodów, a w sprawach gardłowych samemu królowi. W latach 1364 i 1367 Kazimierz Wielki wydał przywileje regulujące życie Żydów w całym państwie. Przywileje Kazimierza Wielkiego, potwierdzone w 1453 roku przez Kazimierza Jagiellończyka oraz jego następców były aż do rozbiorów, tzn. do końca XVIII w. podstawowym dokumentem określającym ogólne stanowisko prawne Żydów w Koronie. Na Litwie podobną rolę odgrywały przywileje księcia Witolda nadane w latach 1388—1389 trzem żydowskim gminom: trockiej, brzesko-litewskiej i grodzieńskiej.

Głównym zajęciem ludności żydowskiej w XIV—XV w. był handel dalekosiężny i lokalny. Żydzi pośredniczyli w tym czasie w wymianie towarów między Polską a koloniami włoskimi nad Morzem Czarnym, Rusią, Węgrami i Turcją. Uczestniczyli w handlu bałtyckim oraz w operacjach handlowych ze Śląskiem. Dzięki związkom z gminami żydowskimi w innych państwach oraz doświadczeniu handlowemu i kredytowemu kupcy żydowscy uzyskali w tym okresie przewagę w handlu zagranicznym i dalekosiężnym nad kupcami miejscowymi. Na skutek protestów ze strony bogatego mieszczaństwa i kleru operacje kredytowe Żydów zostały na początku XV w. poważnie ograniczone. W 1423 roku statut warcki zakazał Żydom udzielania kredytów na listy dłużne i hipotekę, i ograniczył ich operacje wyłącznie do kredytu pod zastawy ruchome.

Nagromadzone kapitały Żydzi lokowali w dzierżawach. W XIV i XV w. bogaci kupcy i lichwiarze żydowscy dzierżawili mennicę królewską, żupy solne oraz czerpali dochody płynące z ceł i myt. Do najwybitniejszych z nich należeli w XIV w. Jordan i jego syn Lewko z Krakowa, a w XV w. Jakub Słomkowicz z Łucka, Wołczko z Drohobycza, Natko ze Lwowa, Samson z Żydaczowa, Josko z Hrubieszowa i Szania z Bełza. Jeden z nich, Wołczko z Drohobycza faktor króla Władysława Jagiełły był zasadźcą kilku wiosek w województwie ruskim oraz sołtysem wioski Werbiż w tymże województwie. Właścicielami wsi, folwarków, łąk, stawów rybnych i młynów byli w tym okresie również Żydzi grodzieńscy. Do końca XV w. rolnictwo jako źródło utrzymania rodzin żydowskich odgrywało jednak nieznaczną rolę. Poważniejsze znaczenie miało rzemiosło obliczone nie tylko na potrzeby współwyznawców ale i ludności chrześcijańskiej (kuśnierstwo, garbarstwo, krawiectwo).

Rozszerzenie działalności gospodarczej Żydów zaostrzyło konkurencję między nimi a kupcami chrześcijańskimi. W połowie XIV w. doszło na tym tle do zaburzeń antyżydowskich na Śląsku, będącego pod panowaniem niemiecko-czeskiej dynastii Luksemburgów. Tam też w okresie epidemii, zwanej czarną śmiercią, wysunięto wobec Żydów, podobnie jak wcześniej w Europie Zachodniej, insynuację jakoby systematycznie zatruwali studnie. W 1349 roku doszło do pogromów w wielu miastach śląskich, a część uchodźców z tych miast, podobnie jak Żydzi wygnani z państw Europy Zachodniej, schroniła się do Polski.

Życzliwe przyjęcie wygnańców przez Kazimierza Wielkiego oraz zapewnienie im opieki królewskiej przyczyniło się do wzmożonego osadnictwa żydowskiego. Z drugiej połowy XIV w. pochodzą pierwsze wzmianki o osiedlach żydowskich we Lwowie (1356), Sandomierzu (1367), Kazimierzu koło Krakowa (1386) i kilku innych miastach. W XV w. mieszkańcy żydowscy pojawili się w dalszych kilkudziesięciu miastach w Wielkopolsce, Małopolsce, na Kujawach, Pomorzu i Rusi Czerwonej. W latach pięćdziesiątych XV w. do miast polskich schronili się wygnańcy żydowscy ze Śląska, znajdującego się wówczas pod panowaniem dynastii Habsburgów. W 1454 roku doszło do rozruchów antyżydowskich we Wrocławiu i innych miastach śląskich, rozruchów inspirowanych przez wysłannika papieskiego mnicha Jana Kapistrana. Głównym jego zadaniem było podburzenie pospólstwa i plebsu przeciw husytom, przy okazji rozwinął on kampanię przeciw Żydom, których oskarżył o znieważanie religii chrześcijańskiej. W wyniku akcji podjętej przez Kapistrana Żydzi zostali wygnani z Dolnego Śląska. Niebawem Kapistran, zaproszony do Polski przez Zbigniewa Oleśnickiego rozwinął podobną agitację w Krakowie i kilku innych miastach, gdzie doszło do tumultów antyżydowskich na mniejszą jednak skalę. W czterdzieści lat później, bo w 1495 roku usunięto Żydów krakowskich ze śródmieścia i przeniesiono do „miasta żydowskiego" na Kazimierzu. W tym samym roku Aleksander Jagiellończyk, wzorując się na zarządzeniach władców Hiszpanii wygnał Żydów z Litwy. Na kilka lat znaleźli oni schronienie w Polsce, dopóki w 1503 roku pozwolono im wrócić do Wielkiego Księstwa Litewskiego.

U schyłku średniowiecza Żydzi mieszkali w 85 miastach, a ich ogólną liczbę w Koronie szacuje się na 18 tys., a na Litwie na 6 tys. Stanowili łącznie zaledwie 0,6% ogółu ludności obu państw.

Wiek XVI i pierwsza połowa XVII były okresem wzmożonego osadnictwa i stosunkowo szybkiego wzrostu przyrostu naturalnego Żydów polskich i litewskich. Wzrastała także, zwłaszcza w XVI w., liczba imigrantów, wśród których znaleźli się nie tylko Żydzi aszkenazyjscy wypędzeni z krajów należących do monarchii Habsburgów — Niemiec, Czech, Węgier i Górnego Śląska (w latach osiemdziesiątych XVI w. na całym Śląsku pozostały jedynie dwie gminy żydowskie w Głogowie i Białej Prudnickiej), ale również Żydzi sefardyjscy wygnani z Hiszpanii i Portugalii. Ponadto przesiedlili się do Polski dobrowolnie Żydzi sefardyjscy z Włoch i Turcji.

Przy końcu XVI w. nastąpiło zahamowanie imigracji a powstawanie nowych gmin odbywało się przeważnie na skutek migracji ludności z przełoczonych dzielnic do nowych osiedli. Około roku 1648 ponad połowa miast Rzeczpospolitej posiadała już ludność żydowską, z tym że centrum życia żydowskiego z dzielnic zachodnich i centralnych przeniosło się do województw wschodnich, gdzie w około 2/3 osad typu miejskiego istniały większe lub mniejsze skupiska Żydów. Od połowy XVI w. coraz większa ilość Żydów zaczęła osiadać na wsi. W połowie XVII w. ludność żydowska Rzeczpospolitej liczyła około 500 tys. osób, co stanowiło w przybliżeniu 5% ogólnej liczby ludności Korony i Wielkiego Księstwa Litewskiego.

Stanowisko prawne Żydów regulowały nadal przywileje królewskie i wielkoksiążęce oraz konstytucje sejmowe, z tym że w Koronie od 1539 roku Żydzi z miast i wsi prywatnych zostali podporządkowani sądownie i administracyjnie ich właścicielom. Odtąd dużego znaczenia obok przywilejów generalnych nabrały przywileje nadawane Żydom przez właścicieli ziemskich. Na sytuację prawną Żydów miały nadal wpływ uchwały synodów oraz prawo zwyczajowe. Wpłynęło to na duże zróżnicowanie położenia prawnego ludności żydowskiej. W niektórych miastach Żydów dopuszczano do obywatelstwa miejskiego (bez prawa ubiegania się o urzędy miejskie), w wielu miastach, szczególnie szlacheckich, Żydzi uzyskiwali pełną swobodę uprawiania handlu i rzemiosła, w innych swobody te, a także prawo osiedlania się było ograniczone, w jeszcze innych istniał zakaz osiedlania się Żydów. W XVI w. dwadzieścia kilka miast wystarało się o „privilegia de non tolerandis Judaeis", m. in. Międzyrzec w 1520 roku, Warszawa w 1525, Sambor w 1542, Gródek w 1550, Wilno w 1551, Bydgoszcz w 1556, Stryj w 1567, Biecz, Krosno i Tarnogród w 1569, Pilzno w 1577, Drohobycz w 1578, Mikołajów w 1596, Chęciny w 1597. Zakazy te były konsekwentnie przestrzegane tylko w części z wymienionych miast, w pozostałych bądź powstawały odrębne przedmiejskie dzielnice, tzw. miasta żydowskie (m. in. w Lublinie, Piotrkowie, Bydgoszczy, Drohobyczu i Samborze), bądź też Żydzi uzyskiwali cofnięcie dyskryminacyjnych zarządzeń, np. w Stryju i Tarnogrodzie. Ograniczenie rozwoju terytorialnego dzielnic żydowskich prowadziło do starań Żydów o zakazy zamieszkiwania w nich chrześcijan. „Privilegia de non tolerandis christianis" otrzymały np.: miasto żydowskie na Kazimierzu w 1568 roku, gmina poznańska w 1633 roku, a także wszystkie gminy litewskie w 1645 roku.

W latach 1501—1648 działalność gospodarcza Żydów w Rzeczpospolitej uległa dalszej intensyfikacji. Zmieniła się też zasadniczo w porównaniu z poprzednim okresem struktura zawodowa ludności żydowskiej. Najważniejszym źródłem utrzymania rodzin żydowskich stało się rzemiosło i handel lokalny. Magnaci wykorzystujący Żydów jako element konkurencyjny w stosunku do miast królewskich stwarzali na ogół dogodne warunki dla rozwoju rzemiosła żydowskiego. Natomiast w większych miastach królewskich, a także w miastach duchownych rzemieślnicy żydowscy, podobnie jak pozacechowi rękodzielnicy chrześcijańscy, zwani partaczami, narażeni byli na stałe szykany ze strony władz miejskich i chrześcijańskich cechów. Mogli oni wykonywać swój zawód tylko potajemnie, i jedynie w nielicznych miastach i po dłuższej walce (np. w Grodnie, Łucku, Lwowie i Przemyślu) cechy tolerowały niektórych rzemieślników żydowskich, ale za solidną opłatą.

Mimo tych trudności rzemiosło żydowskie, korzystając z poparcia starostów królewskich i właścicieli jurydyk szlacheckich, nie tylko utrzymało poprzedni stan posiadania, ale go wydatnie rozszerzyło. W połowie XVII w. Żydzi polscy i litewscy uprawiali ponad 50 zawodów rzemieślniczych (na Rusi Czerwonej 43) i byli reprezentowani we wszystkich gałęziach rzemieślniczej wytwórczości. Dużą rolę fachowcy żydowscy odgrywali w rzemiośle spożywczym, skórzanym i włókienniczoodzieżowym, a ponadto w złotnictwie, konwisarstwie i szklarstwie. W poł. XVII w. rzemieślnicy żydowscy utworzyli własne cechy w Krakowie, Lwowie i Przemyślu. W Białej Cerkwi kilku rzemieślników żydowskich (krawców i rzeźników) należało w 1641 roku do cechów chrześcijańskich.

W XVI i poł. XVII w. Żydzi odegrali wybitną rolę w rozwoju polskiego handlu zagranicznego; przyczynili się także do wzmożenia kontaktów ze Wschodem i Zachodem oraz do przeszczepienia na grunt polski doświadczeń handlowych zdobytych za granicą. Ożywione operacje handlowe prowadzili kupcy żydowscy zwłaszcza z Anglią i Holandią przez Gdańsk, a z Węgrami i Turcją przez Lwów i Kraków. Żydzi wywozili za granicę nie tylko produkty polskiej gospodarki rolnej i hodowlanej, ale też gotowe wyroby rzemieślnicze, zwłaszcza futra i odzież. Przywozili natomiast poszukiwane na rynku polskim towary produkowane na Zachodzie i Wschodzie. Hurtownicy żydowscy pojawiali się na wielkich targach w Wenecji, Florencji, Lipsku, Hamburgu, Frankfurcie nad Menem, Wrocławiu i Gdańsku. Celem zorganizowania handlu na szerszą skalę zakładali niekiedy spółki handlowe. W połowie XVI w. spółkę, której celem był handel z Gdańskiem założyli np. kupcy żydowscy z Brześcia Litewskiego, Tykocina, Grodna i Śledźewa, a w 1616 roku Żydzi lwowscy, lubelscy, krakowscy i poznańscy. W wielu miejscowościach na przełomie XVI i XVII w. powstawały krótkotrwałe spółki między Żydami a kupcami chrześcijańskimi dla przeprowadzenia korzystnych operacji handlowych. W handlu zagranicznym i dalekosiężnym zatrudnieni byli stosunkowo nieliczni Żydzi, zasadniczą masę kupiectwa żydowskiego stanowili średniozamożni właściciele sklepów, a także kramarze i przekupnie, których całym majątkiem był towar mieszczący się na ławie przed domem czy na wózku, lub w worku noszonym na własnym grzbiecie.

Wzrost handlowej ekspansji Żydów zaniepokoił mieszczan, którzy konkurencję żydowską odczuwali tym boleśniej, że jednocześnie znaleźli konkurenta w postaci rozwijającego się handlu szlacheckiego. Walka części mieszczaństwa przeciw kupcom żydowskim przejawiała się m. in. w próbach ograniczenia handlu żydowskiego. Monarchowie, mimo że na ogół byli przychylnie usposobieni do ludności żydowskiej, to pod naciskiem mieszczaństwa i kleru wydali szereg dekretów ograniczających hurtowy handel żydowski do pewnych artykułów, lub też do pewnej wysokości zakupów, jakie im wolno było czynić. Większe ograniczenia przewidywały ugody zawierane między magistratami większych miast z gminami żydowskimi, ale umowy te nie zawsze były przestrzegane. W miastach prywatnych handel żydowski, przynoszący niemałe dochody ich właścicielom, przeważnie odbywał się bez przeszkód.

Działalność handlowa Żydów łączyła się z organizacją kredytu. Bardzo często bogaci kupcy żydowscy byli zarazem finansistami. Do najwybitniejszych bankierów żydowskich należeli Fiszlowie z Krakowa i Nachmanowiczowie ze Lwowa oraz Żydzi litewscy Mendel Izakowicz i Izak Brodawka. Finansiści żydowscy byli w Polsce pionierami scentralizowanego kredytu. Wprawdzie stworzone przez nich instytucje bankierskie zajęte były głównie mobilizowaniem kapitałów potrzebnych do finansowania wielkich arend żydowskich i handlu hurtowego, zajmowały się one jednak pobocznie udzielaniem kredytu szlachcie pod przyszłe zbiory oraz przedsiębiorcom żydowskim. Pozytywną rolę odegrał również drobny, ale masowy kredyt udzielany przez Żydów rzemieślnikom i drobnym kupcom, gdyż w wielu wypadkach otrzymanie pożyczki było niezbędnym warunkiem otwarcia warsztatu rzemieślniczego czy sklepu. Nie należy jednak zapominać o drugiej stronie tej działalności. Udzielanie kredytu na lichwiarski procent prowadziło do zubożenia zarówno żydowskich, jak i chrześcijańskich dłużników. Część z nich wtrącano do więzień, a ich rodziny pozostawały bez środków do życia. Ten przejaw lichwiarskiej działalności kredytodawców Żydów wzmagał wśród mieszczan niechęć do ludności żydowskiej, podtrzymywaną stale przez odrębności natury religijnej i obyczajowej.

Ważną dziedziną gospodarczej działalności Żydów pozostały nadal arendy. W omawianym okresie obok bogatych kupców i finansistów żydowskich arendujących duże kompleksy gospodarcze czy też czerpiących dochody z ceł i myt na rozległych obszarach, pojawiła się duża liczba drobnych dzierżawców młynów, gorzelni, browarów i karczm. Powiększyła się też znacznie liczba żydowskich subdzierżawców, pisarzy i poborców zatrudnionych u bogatych arendarzy. Niektórzy z tych ostatnich dochodzili do wysokich godności. Tak np. podczas uroczystości związanych z hołdem pruskim główny poborca podatków płaconych przez Żydów na Litwie Michał Ezofowicz, nie porzucając wiary żydowskiej, otrzymał w 1525 roku szlachectwo i herb Leliwa. Jego brat, Abraham Ezofowicz, który ochrzcił się, otrzymał także szlachectwo, a ponadto stanowisko starosty mińskiego i podskarbiego litewskiego.

W pierwszej ćwierci XVI w. dzierżawcy żydowscy pełnili swe funkcje jako pełnoprawni kierownicy podległych im przedsiębiorstw m. in. kopalni soli i komór celnych. „W tym czasie — pisał w 1521 roku dziejopis Zygmunta Starego, Justus Ludwik Decjusz — Żydzi w coraz większej są cenie; nie ma prawie myta albo podatku jakiegoś, którego by nie byli przełożonymi, albo przynajmniej się o nie nie ubiegali. Chrześcijanie powszechnie Żydom podlegają; nie znajdziesz nikogo spośród możnych i przedniejszych panów Rzeczypospolitej, który by Żyda nie przełożył nad swym majątkiem, nie dawał władzy Żydom nad chrześcijanami".

Szlachta prowadząca w XVI w. ostrą walkę z magnatami wystąpiła przeciw oddawaniu Żydom przez nich i przez króla w dzierżawę żup, ceł i myt. Pod wpływem szlachty sejm piotrkowski zakazał Żydom w 1538 roku dzierżawienia dochodów publicznych. Zakaz ten został powtórzony kilkakrotnie przez późniejsze sejmy. Zarządzenia te okazały się tylko częściowo skuteczne. W 1581 roku autonomiczna reprezentacja Żydów (czyli tzw. Sejm Czterech Ziem) obradująca w Lublinie podjęła uchwałę zabraniającą współwyznawcom pod karą klątwy dzierżawienia żup, mennic, czopowego oraz ceł i myt w Wielkopolsce, Małopolsce i na Mazowszu. Zakaz ten uzasadniono tym, że „ludzie podniecani żądzą zysku i wzbogacenia się przez wielkie i liczne arendy, mogą sprowadzić na ogół (Żydów) — broń Boże — wielkie niebezpieczeństwo". Od tego czasu arendarze żydowscy działali tylko na Rusi Czerwonej, Podolu, Wołyniu i Ukrainie Naddnieprzańskiej oraz na Litwie. W dobrach arendowanych przez Żydów, podobnie jak w majątkach zarządzanych przez szlachtę, dochodziło niejednokrotnie na tle feudalnej eksploatacji poddanych chłopów do lokalnych buntów, które na Ukrainie przerodziły się w powstania kozacko-chłopskie. Współdziałanie na Ukrainie żydowskich dzierżawców z magnatami w ich kolonialnej polityce sprawiło, że powstania te przechodziły często pod hasłem rozprawy z Lachami i Żydami.

Obok rzemiosła, handlu, operacji finansowych i arend coraz bardziej liczącym się źródłem utrzymania ludności żydowskiej we wschodnich regionach Rzeczpospolitej stało się rolnictwo. Maciej Miechowita, autor *Kroniki polskiej* (1519), wspominając o Żydach polskich zaznaczył, że na Rusi zajmowali się oni nie tylko lichwą i handlem, ale także uprawą roli. W miastach Żydzi byli posesorami pól i ogrodów. W Chełmie w 1636 roku komorników żydowskich pociągano do prac pańszczyźnianych. Na wsi Żydzi uprawiali ziemię przy dzierżawionych przez nich karczmach, młynach i browarach.

Część Żydów zdobywała środki do życia jako płatni urzędnicy kahalni, muzykanci, woźnice, faktorzy w dobrach szlacheckich i w domach bogatych kupców, liczni pośrednicy zwani barysznikami, służące, subiekci itp. Bez środków do życia pozostawali natomiast żebracy i kaleki, których nie brakło w gminach żydowskich. Tylko część z nich mogła liczyć na doraźną pomoc ze strony organizacji charytatywnych, albo na miejsce w przytułku dla ubogich. W związku z pogłębieniem się wśród Żydów różnic majątkowych nabrały większej ostrości konflikty społeczne. Od połowy XVI w. toczyła się walka rzemieślników żydowskich przeciw nakładcom lokującym swe kapitały w rzemiośle skórzanym i włókienniczo-odzieżowym. Walka pospólstwa i plebsu żydowskiego przeciw bogatym kupcom i finansistom znalazła odbicie w działalności wybitnego plebejskiego kaznodziei z przełomu XVI i XVII w. Salomona Efraima z Łęczycy. W książce *Ir Giborim* (Miasto bohaterów) opublikowanej w 1580 roku w Bazylei napiętnował on ostro wyzysk biedoty przez bogaczy. Zaatakował także tych rabinów, którzy schlebiali bogaczom. Z poglądami swymi występował nie tylko w publikacjach i kazaniach w bóżnicach, ale również głosił je publicznie na jarmarkach licznie odwiedzanych przez Żydów.

Źródła zanotowały sporadyczne wystąpienia rzemieślników żydowskich razem z partaczami chrześcijańskimi przeciw starszyźnie cechowej. Zdarzały się też wspólne wystąpienia Żydów i mieszczan przeciw szlachcie. Znalazło to m. in. odbicie w tekście ugody, jaką w 1589 roku zawarli Żydzi z władzami miejskimi Kamionki Strumiłowej „z przyzwoleniem wszystkiego pospólstwa". Rajcy „przyjęli Żydy wszystkie do prawa swego, do wolności wszystkich, a oni wszystkie onera nieść jako mieszczanie powinni". Żydzi zobowiązali się uczestniczyć w pracach porządkowych na rzecz miasta, odprawiać straż oraz brać udział w akcjach przeciwpowodziowych i innych wspólnie z chrześcijanami, ci zaś przyrzekli „te Żydy bronić jako właśnie sąsiadów naszych od przenagabywania i od gwałtów, tak szlachty jako i od żołnierza, one bronić i nie dopuszczać im krzywdy czynić... gdyż są sąsiedzi nasi".

W parze z szybkim rozwojem osadnictwa i działalności gospodarczej Żydów polskich szła rozbudowa samorządu żydowskiego, a jego struktura organizacyjna przyjęła w XVI w. formę niespotykaną w innych krajach europejskich. Podobnie jak w średniowieczu autonomicznymi gminami żydowskimi zarządzały kahały, czyli ciała kolegialne, w skład których wchodzili starsi wybierani przeważnie spośród miejscowych bogaczy. Kahał zajmował się organizacją pogrzebów, sprawował nadzór nad cmentarzem, organizował szkolnictwo, miał kontrolę nad łaźniami, ubojem i sprzedażą mięsa, w zamkniętych „miastach żydowskich" sprawował nadzór nad czystością oraz spokojem i bezpieczeństwem mieszkańców. Dochodziły do tego ważne funkcje dobroczynne, jak organizacja szpitali i udzielanie pomocy biednym pannom wychodzącym za mąż. Niebagatelną sprawą, którą zajmował się kahał był podział kwoty podatkowej przypadającej na gminę na poszczególne gospodarstwa.

Dalszy hierarchiczny rozwój żydowskich instytucji autonomicznych związany był właśnie z trudnościami, na jakie na początku XVI w. natrafiła władza w ściąganiu podatków od poszczególnych gmin. W latach 1518—1522 Zygmunt August zarządził powołanie czterech okręgów żydowskich czyli ziemstw, które miały wybierać na specjalnych zjazdach (sejmikach) starszyznę ziemską oraz taksatorów i poborców podatkowych. W 1530 roku król ustanowił stały trybunał rozjemczy z siedzibą w Lublinie, który miał rozpatrywać sprawy sporne między Żydami z różnych ziemstw. W 1579 roku Stefan Batory powołał do życia centralną reprezentację Żydów Korony i Litwy, która miała odpowiadać za sprawne ściąganie podatku pogłównego wprowadzonego dla ludności żydowskiej jeszcze w 1549 roku. Ukonstytuowanie się tej instytucji, zwanej Sejmem Czterech Ziemstw (Waad arba aracot) nastąpiło na zjeździe w Lublinie w 1581 roku. Sejm Czterech Ziemstw, który zwoływano najczęściej co roku, wyłaniał ze swego grona radę, zwaną generalnością żydowską. Na jej czele stał marszałek generalny, a w skład jej wchodzili: rabin generalny, pisarz generalny oraz wiernicy (skarbnicy) generalni. Do 1623 roku na sejmy przyjeżdżali zarówno przedstawiciele Korony jak i Litwy. Od tego roku w związku z powołaniem do życia odrębnego Trybunału Skarbowego dla Litwy, powstał oddzielny sejm Żydów litewskich. Instytucje te przetrwały do 1764 roku. Sejmy Żydów Korony zbierały się przeważnie w Lublinie, niekiedy w Jarosławiu lub Tyszowcach, sejmy Żydów Litwy obradowały najczęściej w Brześciu Litewskim.

Sejm czyli waad reprezentował ogół Żydów; prowadził pertraktacje z centralnymi i lokalnymi władzami przez swoich syndyków (sztadłanów), starając się przez ich kontakty z posłami wpływać na decyzje podejmowane w sprawach żydowskich na sejmikach i na sejmie. Na waadach rozpatrywano nie tylko sprawy fiskalne, ale również zagadnienia związane z bytem i kulturą ludności żydowskiej Rzeczpospolitej. Podejmowano na nich uchwały w sprawach dzierżaw, wysokości procentu w transakcjach kredytowych między Żydami, ochrony wierzycieli przed nieuczciwymi bankrutami, wychowania młodzieży, ochrony rodziny itp.

Waad podejmował uchwały w sprawie opodatkowania ludności żydowskiej m. in. na obronę kraju. Głównym podatkiem było pogłówne. Ponadto Żydzi, jak i pozostali mieszczanie, płacili podatki na obronę miasta. Obok świadczeń pieniężnych ludność miejska bez różnicy wyznania była zobowiązana do świadczeń rzeczowych na budowę i rozbudowę fortyfikacji miejskich i utrzymanie stałych załóg, Żydów, podobnie jak i chrześcijan pociągano do świadczeń osobistych na rzecz obronności miasta. W dzielnicach żydowskich ważnym elementem obronnym były bóżnice o charakterze warowni. W XVI—XVII w. powstało ich kilkadziesiąt, m. in. w Bełżcu, Brodach, Buczaczu, Buszczu, Czortkowie, Husiatynie, Jarosławiu, Leszniowie, Lublinie, Łucku, Podkamieniu, Pomorzanach, Sokalu, Stryju, Szarogrodzie, Szczebrzeszynie, Szydłowie, Tarnopolu, Zamościu i Żółkwi.

Jednym z głównych obowiązków mieszczan, a wśród nich i Żydów, była obrona miast jako umocnionych punktów oporu przed wrogiem, któremu udało się przeniknąć w głąb państwa polskiego. Na początku XVI w. doszedł do tego obowiązek wystawiania kontyngentu wojskowego na terenie Wielkiego Księstwa Litewskiego. Obowiązek ten po 1571 roku został zamieniony na odpowiednie świadczenia pieniężne. Po raz pierwszy zobowiązano Żydów do dostarczenia kontyngentów wojskowych w 1514 roku, ale powinność tę egzekwowano energiczniej dopiero od 1648 roku. Zaprawę wojenną, podobnie jak pozostała ludność miejska, zdobywali Żydzi podczas obowiązkowych ćwiczeń wojskowych, a ich sprawność bojową i umiejętność posługiwania się bronią sprawdzano podczas tzw. okazowań lub popisów.

Bezpośredni udział, i to poszczególnych Żydów w bitwach w otwartym polu z wrogami Rzeczpospolitej da się stwierdzić źródłowo od połowy XVI w. Za panowania Stefana Batorego w armii polskiej służył budowniczy mostów i inżynier wojskowy Mendel Izakowicz z Kazimierza pod Krakowem, który podczas wojny z Rosją oddał znaczne usługi wojsku polskiemu. Podczas wojny z Rosją w latach 1610—1612 w jednej tylko chorągwi, przypuszczalnie ze zgrupowania lisowczyków, służyło jednocześnie kilkunastu Żydów. Pewna liczba Żydów uczestniczyła też w tzw. wojnie smoleńskiej (1632—1634), a część z nich dostała się do niewoli rosyjskiej.

Rok 1648, rok wybuchu powstania pod wodzą Bohdana Chmielnickiego, stał się datą przełomową zarówno w dziejach Rzeczpospolitej, jak i historii Żydów polskich. Kraj pogrążył się w kryzysie gospodarczym, pogłębianym zniszczeniami wojennymi. Wojny z Ukrainą, Rosją, Szwecją, Turcją i Tatarami toczone z niewielkimi przerwami w latach 1648—1717 spowodowały upadek miast i gospodarki rolnej oraz poważne straty demograficzne. Podczas powstania Bohdana Chmielnickiego i wojen z Ukrainą i Rosją przestały istnieć gminy żydowskie na terenach zajętych przez nieprzyjaciół Rzeczpospolitej. Część Żydów została wymordowana, część wyemigrowała do centralnych regionów Polski, część udała się do państw Europy Zachodniej. Ubytek ludności żydowskiej tylko podczas powstania narodu ukraińskiego (1648—1654) ocenia się na 20—25%, czyli od 100 do 125 tys. osób. Gwałtowny przyrost ludności żydowskiej nastąpił dopiero w XVIII w. (po 1717 r.). Szacuje się, że w 1766 roku, w którym zakończono przeprowadzenie spisu Żydów zobowiązanych do płacenia pogłównego, mieszkało ich w Rzeczpospolitej około 750 tys., co stanowiło 7% ogółu ludności Korony i Wielkiego Księstwa Litewskiego. Według Rafała Mahlera 29% Żydów mieszkało wówczas na terenach etnicznie polskich, 44% na ziemiach litewsko-białoruskich oraz 27% na obszarach zamieszkałych przeważnie przez ludność ukraińską. Około 2/3 Żydów mieszkało w miastach, około 1/3 na wsi.

Po pierwszym rozbiorze Polski około 150 tys. Żydów dostało się pod panowanie austriackie, około 25 tys. pod zabór rosyjski i tylko około 5 tys. pod zabór pruski. Spis ludności przeprowadzony w Polsce w latach 1790—1791 wykazał dalszy wzrost ludności żydowskiej. Tadeusz Czacki oszacował ją na ponad 900 tys., czyli około 10% ogółu ludności ówczesnej Rzeczpospolitej. W tym samym mniej więcej czasie (1780 r.) w zaborze austriackim żyło ponad 150 tys. Żydów, a w pozostałych zaborach kilkadziesiąt tysięcy.

Odbudowa miast po każdej z wojen odbywała się bardzo powoli. Stosunkowo najszybciej zagospodarowywano dobra należące do magnatów, którzy chętnie posługiwali się w tym celu ludnością żydowską. Na terenach wschodnich Rzeczpospolitej i częściowo centralnych Żydzi odegrali znaczną rolę w reaktywowaniu rzemiosła, i to nie tylko tradycyjnie żydowskiego, jak złotnictwo, konwisarstwo, pasamonictwo, szklarstwo, kuśnierstwo czy krawiectwo, ale również innego, jak blacharstwo, kotlarstwo, płatnerstwo, snycerstwo, drukarstwo, farbiarstwo i mydlarstwo. Pojawiła się w omawianym okresie liczna rzesza rzemieślników żydowskich wędrujących po wsiach i dworach szlacheckich w poszukiwaniu dorywczego zarobku. Sytuacja materialna rękodzielników żydowskich była na ogół bardzo ciężka. Pauperyzacja mieszkańców miast i wsi powodowała, że rzemieślnik żydowski, podobnie jak chrześcijański z trudem znajdował nabywców na wyprodukowane przez się towary. W większych miastach na tle konkurencji dochodziło do licznych spięć między cechami a partaczami żydowskimi i chrześcijańskimi. Walki kończyły się nieraz kompromisem, a Żydów o wiele częściej niż w poprzednim okresie, dopuszczano do cechów chrześcijańskich. Powstały też obok dawniej istniejących nowe cechy czysto żydowskie, np. w Poznaniu, Krakowie, Lwowie, Przemyślu, Kępnie, Lesznie, Łucku, Berdyczowie, Mińsku, Tykocinie i Białymstoku.

W okresie wojen z połowy XVII w. zamarł prawie zupełnie żydowski handel hurtowy, dalekosiężny i zagraniczny. Jedynie kupcom żydowskim niektórych miast, jak Brody czy Leszno, udało się przy wydatnym poparciu magnatów odnowić w drugiej połowie XVII w. kontakty z Gdańskiem, Wrocławiem, Królewcem, Frankfurtem nad Odrą, a w mniejszej mierze z Anglią. Dzięki pomocy magnatów zaczął się również odradzać żydowski handel lokalny. Większość sklepów w odbudowanych z ruin ratuszach odnajmowano Żydom (m. in. w Staszowie, Siemiatyczach, Kocku, Siedlcach i Białymstoku). Ożywił się też żydowski handel wędrowny, dzięki któremu utrzymywała się przerwana w okresie wojen wymiana gospodarcza między miastem a wsią.

Radykalne zmiany po wojnach z połowy XVII w. nastąpiły w organizacji kredytu żydowskiego. Zniknęły wielkie domy bankierskie, a kahały z kredytodawców przekształciły się w kredytobiorców. Przedstawiciele szlachty i duchowieństwa coraz częściej lokowali swe kapitały w gminach żydowskich, zmuszając je równocześnie do solidarnej odpowiedzialności za długi poszczególnych Żydów. W razie niewypłacalności kahałów panowie otrzymali prawo opieczętowywania i zamykania bóżnic, więzienia starszyzny i konfiskowania towarów należących do kupców. Chcąc zabezpieczyć się przed lekkomyślnością poszczególnych kredytobiorców gminy stosowały tzw. chazakę kredytową, polegającą na wydawaniu zezwoleń członkom gminy na korzystanie z kredytu. O przydzielaniu pożyczki decydowały często kliki złożone ze starszyzny kahalnej. Część wypożyczonych od szlachty i duchowieństwa i powiększonych przy pomocy lichwiarskich operacji kapitałów tonęła w kieszeniach oligarchii kahalnej, część obracano na nieprodukcyjne cele, m. in. na finansowanie procesów o mordy rytualne, opłacanie protekcji panów itp.

W pierwszej połowie XVIII w. szlachtę i duchowieństwo ogarnął niepokój o los lokowanych w gminach żydowskich kapitałów i narastających w lawinowym tempie odsetków od niepłaconych długów. Należności te wierzyciele starali się ściągnąć przy pomocy wyżej wspomnianych metod, a gdy to nie przyniosło spodziewanych rezultatów, zastosowano tzw. krupkę, tj. podatek konsumpcyjny, z którego dochód miał iść na umorzenie pożyczek. Wreszcie zdecydowano się w 1764 roku na skasowanie banków kahalnych i ściągnięcie wierzytelności przez opodatkowanie głów żydowskich.

W wyniku ogólnego zubożenia ludności żydowskiej w drugiej połowie XVII i w XVIII w. pogłębiły się sprzeczności między ludem a oligarchią kahalną starającą się przerzucić ciężar stale rosnących podatków państwowych i kahalnych na biedniejsze warstwy. W kilku miastach, m. in. w Krakowie, Lesznie i Drohobyczu doszło do zaburzeń biedoty żydowskiej skierowanych przeciw oligarchom kahalnym. Ostrą walkę przeciw kahałom prowadziły cechy żydowskie usiłujące uwolnić się od ich gospodarczej zależności. Jednocześnie, zwłaszcza w większych miastach królewskich, wybuchały konflikty między Żydami a chrześcijanami wywołane konkurencją na tle gospodarczym. Napięta atmosfera tej walki prowadzonej przeważnie pod hasłami religijnymi sprzyjała wybuchowi tumultów i pogromów antyżydowskich np. w Krakowie, Poznaniu, Lwowie, Wilnie, Brześciu Litewskim i kilku innych miastach. Powszechną obawę wśród Żydów wywoływały organizowane w dobie przesądów religijnych procesy rytualne. O wiele groźniejsza dla Żydów okazała się jednak ich sytuacja na Ukrainie, dokąd ludność żydowska powróciła dopiero przy końcu XVII w. Rola, jaką w XVIII w. odegrali dzierżawcy żydowscy w polityce kolonizacyjnej polskiej magnaterii powodowała, że gniew ludu ukraińskiego kierował się, podobnie jak w okresie powstania Chmielnickiego, zarówno przeciw polskiej szlachcie jak i ogółowi Żydów. Podczas powstania chłopskiego w 1768 roku, zwanego koliwszczyzną, przebiegającego pod hasłem „wybicia się z niewoli" i obrony prawosławia, w Humaniu i wielu innych miastach zarówno Ukrainy jak i Podola zginęło kilka tysięcy szlachty i kilkadziesiąt tysięcy Żydów.

Wydarzenia na Ukrainie w 1768 roku zwróciły uwagę światlejszych umysłów społeczeństwa polskiego na konieczność przeprowadzenia zasadniczych reform ustrojowych i rozwiązania zarówno kwestii chłopskiej jak i żydowskiej. Nad kwestią żydowską nie tylko dyskutowano w ostatnich dziesięcioleciach istnienia Rzeczpospolitej, ale szukano także praktycznych rozwiązań. Sprawie tej poświęcono wiele broszur oraz wystąpień w sejmie. Jedni byli za dalszym ograniczeniem gospodarczej działalności Żydów, inni żądali przekształcenia ich w poddanych szlachty na wzór pańszczyźnianych chłopów, jeszcze inni byli za pozbyciem się ludności żydowskiej z kraju. Tendencjom tym przeciwstawiła się będąca pod wpływem Oświecenia grupa szlachty z Tadeuszem Czackim i Maciejem Toporem Butrymowiczem na czele. Grupa ta postulowała ograniczenie władzy kahałów, konieczność zmiany struktury zawodowej ludności żydowskiej poprzez zatrudnienie Żydów w manufakturach i gospodarstwach rolnych. Występowała także za asymilacją Żydów i włączeniem ich do stanu mieszczańskiego.

W latach sześćdziesiątych XVIII w. sprawa żydowska stała się przedmiotem obrad sejmowych. Sejm z 1764 roku podjął uchwałę o likwidacji centralnej i ziemskiej organizacji Żydów. Sejm z 1768 roku postanowił, iż Żydzi miejscy mogą oddawać się tylko takim zajęciom, na jakie im pozwalają układy z miastami. W odczuciu Żydów oznaczało to pełne uzależnienie ich od odwiecznego konkurenta na polu gospodarczym, jakim było dla nich mieszczaństwo. Sejm z 1775 roku zajął się sprawą agraryzacji społeczeństwa żydowskiego i podjął uchwałę przyznającą ulgi podatkowe Żydom, którzy osiądą na nieużytkach oraz zakazał rabinom udzielania ślubów osobom nie mającym stałego zarobku.

Sprawa reform żydowskich stała się też przedmiotem obrad Sejmu Wielkiego. Wyłonił on specjalną komisję do spraw żydowskich, która nie zdążyła jednak przedłożyć swego projektu przed uchwaleniem w dniu 14 kwietnia 1791 roku prawa o miastach, na podstawie którego Żydzi nie zostali dopuszczeni do stanu mieszczańskiego. W późniejszym okresie powrócono jeszcze do rozpatrywania kwestii żydowskiej, jednak zasadniczych reform w tej dziedzinie Sejm Czteroletni nie zdążył przeprowadzić. Jedyne istotne ustępstwo wobec Żydów w czasie obrad Sejmu Wielkiego zawierała uchwała komisji policji z 24 maja 1792 roku głosząca, że Żydzi, podobnie jak inni obywatele Rzeczpospolitej mają korzystać z prawa o niewięzieniu bez wydania wyroku sądowego.

Chociaż projekty dotyczące rozwiązania kwestii żydowskiej nie zostały przez Sejmy Czteroletni uchwalone, samo ich rozpatrywanie zostało z wdzięcznością przyjęte przez część społeczeństwa żydowskiego. W pierwszą rocznicę uchwalenia Konstytucji 3 Maja w synagogach odprawiano uroczyste nabożeństwa dziękczynne i opublikowano z tej okazji okolicznościowy hymn.

Trudnej kwestii żydowskiej nie udało się też rozwiązać w zaborach pruskim i autriackim. Na terenie zaboru pruskiego zgodnie z zarządzeniem Fryderyka II ludność żydowską miało obowiązywać *Generalne urządzenie Żydów* (General Judenreglement) z 17 IV 1797 roku. Prawo do stałego zamieszkania w miastach uzyskali tylko bogaci Żydzi oraz ci, którzy zajmowali się handlem. Zakazano im uprawiania rzemiosł już reprezentowanych w cechach. Biednych Żydów, tzw. Bettel-Juden, Fryderyk II polecił wypędzić z kraju. Działalność samorządu żydowskiego została ograniczona prawie wyłącznie do spraw religijnych.

W zaborze austriackim ustosunkowanie się monarchii do kwestii żydowskiej przeszło dwie fazy. W początkowym okresie, tj. za Marii Teresy i w pierwszych latach rządów Józefa II utrzymano odrębność ludności żydowskiej od reszty społeczeństwa galicyjskiego, zachowując z pewnymi modyfikacjami ich samorząd. Najbiedniejszych Żydów rząd austriacki wydalił z kraju. Pozostałych w Galicji Żydów ograniczono w prawie zawierania małżeństw, odsunięto od wielu źródeł zarobku oraz zmuszono do płacenia wysokich podatków. W drugim okresie rządów Józefa II, Żydów powołano do wojska (1788), a następnie na mocy wielkiej ordynacji żydowskiej z 1789 roku zniesiono pewne ograniczenia ludności żydowskiej i starano się zrównać ją w prawach z mieszczaństwem. Zaniechano mianowicie dalszego wydalania ludności żydowskiej z Galicji, zlikwidowano odrębne sądownictwo, ograniczono samorząd żydowski, wydano zarządzenia nakazujące Żydom upodobnić się strojem do ludności chrześcijańskiej oraz zobowiązano ich do uczęszczania do szkół niemieckich lub zreformowanych szkół żydowskich. Utrzymano jednak osobny podatek żydowski oraz ograniczono ich działalność gospodarczą na wsi. Część tych zarządzeń natrafiła na zdecydowany opór ludności żydowskiej i została cofnięta. W 1792 roku następca Józefa II Leopold II zamienił obowiązek wojskowy Żydów na opłatę pieniężną, a zarządzenie w sprawie porzucenia przez Żydów ich tradycyjnego stroju nie weszło praktycznie w życie.

Od drugiej połowy XVII w. Żydzi brali coraz liczniejszy udział w wojnach toczonych przez Rzeczpospolitą. W czasie wojen z Kozakami i Tatarami ludność żydowska wystawiała piechotę i konnicę, a część młodzieży żydowskiej uczestniczyła w bitwach w otwartym polu, np. w bitwie pod Beresteczkiem. Z orężem w ręku walczyli Żydzi w obronie oblężonych miast (Tulczyna, Połonnego, Lwowa i wielu innych). Podczas wojen: polsko-szwedzkiej (1655—1660), polsko-rosyjskiej (1654——1667) i polsko-tureckiej (1667—1699) Żydzi dostarczali rekruta, uczestniczyli w obronie miast (m. in. Przemyśla, Witebska, Starego Bychowa, Mohylewa, Lwowa i Trembowli), wspólnie z mieszczaństwem i szlachtą organizowali wycieczki do obozu nieprzyjacielskiego (np. pod Suraż w 1655 r., w okolicach Podhajec w 1667 i Przemyśla w 1672 r.). W 1664 roku w armii Rzeczpospolitej służył inżynier wojskowy Jezue Moszkowicz z Kazimierza pod Krakowem, który w czasie wojny z Rosją uratował od zatonięcia ciężkie działa i inną broń.

W czasie insurekcji kościuszkowskiej i walk z carską Rosją w 1794 roku Żydzi odnosili się z sympatią do powstańców i wspierali powstanie bądź w służbie pomocniczej bądź z bronią w ręku. Żydzi wzięli m. in. udział w walkach zbrojnych podczas rewolucji kwietniowej w Warszawie, gdzie wielu z nich poległo. Po wyparciu armii carskiej z Warszawy powstała myśl zorganizowania złożonej z Żydów--ochotników oddzielnej jednostki wojskowej. Ideę tę poparł Naczelnik Tadeusz Kościuszko. „Nic bardziej przekonać nie może najodleglejszych narodów o świętości sprawy naszej i sprawiedliwości rewolucji teraźniejszej — pisał on w *Uwiadomieniu o formującym się pułku starozakonnych* — jak to, że oddzieleni od nas religią i zwyczajami ludzie dla poparcia powstania naszego z własnej woli życie w ofierze noszą". Pułk żydowski z Berkiem Joselewiczem na czele wziął udział w walkach podczas szturmu Pragi przez wojska carskie 4.XI.1794 roku, dokumentując obficie wylaną krwią oddanie ludu żydowskiego sprawie insurekcji oraz głoszonym przez nią hasłom wolności, równości i braterstwa.

KULTURA ŻYDOWSKA W POLSCE
DO KOŃCA XVIII W.

JĘZYK I LITERATURA

W dawnej Polsce Żydzi posługiwali się dwoma językami. Panującym językiem w liturgii synagogalnej, w szkolnictwie i literaturze religijno-filozoficznej był język hebrajski. Językiem potocznym Żydów polskich, co najmniej od początku XV w, stał się język żydowski (jidysz) oparty wprawdzie na słownictwie i składni niemieckiej, ale odbiegający od narzeczy germańskich swym brzmieniem, budową zdania, szykiem wyrazów oraz poważnymi zapożyczeniami (10—15%) z języka hebrajskiego. W późniejszym okresie na słownictwo żydowskie znaczny wpływ wywarły języki słowiańskie. Najstarszy zabytek języka jidysz na terenie Niemiec pochodzi z 1382 roku, najdawniejsze zapiski sporządzone w tym języku na terenie Polski zachowały się w księgach sądowych z lat 1423—1437. Z 1485 roku pochodzi żydowski tekst umowy spisanej między Żydami a mieszczanami krakowskimi.

W języku jidysz na terenie Włoch i Niemiec zaczęto spisywać w XIV w. pieśni bardów żydowskich wzorowane na twórczości trubadurów, ale przystosowane do obyczajów i tradycji ludności żydowskiej. Na początku XVI w. w Europie Zachodniej, a przy końcu tego stulecia w Polsce wydano w języku jidysz szereg opowieści i romansów rycerskich.

W okresie tym powstała w Polsce również oryginalna literatura żydowska oparta głównie na legendach biblijnych. W 1602 roku wydano w Bazylei w języku żydowskim obszerny zbiór tych opowieści pod nazwą *Maase Buch* (Księga opowieści).

Jednocześnie rozwijało się żydowskie piśmiennictwo religijne, którego celem była popularyzacja Biblii wśród kobiet znających słabo (lub wcale) język hebrajski. Pierwszą książką tego rodzaju w Polsce była konkordancja (zestawienie tekstów tego samego przedmiotu) rabina Szera ben Anszela wydana w Krakowie w 1534 roku. Była ona zarazem pierwszą drukowaną książką w Polsce w języku jidysz. Największym wzięciem wśród Żydówek cieszyła się książka Jakowa ben Icchoka Askenazego z Janowa Lubelskiego (1550—1628) *Coena urena* (Pójdźcie i patrzcie) opublikowana w języku żydowskim w 1622 roku. Zawierała ona nie tylko popularny wykład Biblii, przystrojony i rozszerzony wieloma legendami z Talmudu, ale również porady praktyczne i wskazówki życiowe. O poziomie umysłowym kobiet żydowskich XVI w. świadczy twórczość literacka Rebeki, córki rabina tykocińskiego Merira Tiktinera. Oczytana w literaturze religijno-filozoficznej autorka ta przygotowała do druku w języku jidysz poradnik dydaktyczno-wychowawczy dla kobiet żydowskich dostosowany do ówczesnej rzeczywistości (książka wyszła w 1618 r. już po śmierci autorki). Tiktiner jest także autorką 80 wierszowej radosnej pieśni śpiewanej przez kobiety w bóżnicy, podczas święta upamiętniającego otrzymanie Tory (Simchat Tora).

Najważniejszą rolę w piśmiennictwie Żydów polskich do końca XVIII w. odgrywała tzw. literatura rabiniczna, zajmująca się głównie studiowaniem Talmudu (Nauka), składającego się z dwóch działów: *Miszny*, czyli kodeksu praw (halahot) ze wszystkich dziedzin życia, zebranego i skodyfikowanego ok. 200 roku przez Jehudę ha Nassi; oraz *Gemary*, czyli objaśnienia artykułów *Miszny*.

Obok dzieł ściśle religijnych na terenie Polski powstało szereg opracowań z dziedziny filozofii, religii, etyki, dydaktyki, itd., które także zalicza się do literatury rabinicznej. Jej obfitość i żywotność w Polsce od w. XV do XVIII tłumaczy się tym, że znajomość Talmudu była koniecznością życiową, gdyż Żydzi żyli w tym okresie ściśle według przepisów rytuału i religii, a sądy rabinackie z mocy prawa wydawały wyroki w sprawach między Żydami na podstawie prawa talmudycznego. Znajomość Talmudu była ponadto warunkiem osiągnięcia wyższego szczebla społecznego.

Do rozwoju literatury rabinicznej w Polsce przyczyniło się szybkie rozpowszechnienie się drukarstwa. Pierwsze drukarnie hebrajskie w Polsce powstały w 1534 roku w Krakowie. Założycielami ich byli bracia Halicowie. W latach 1569—1626 czynna była w Krakowie wielka drukarnia założona przez Izaka z Prościejowic. W XVII i XVIII w. pięknie opracowane książki hebrajskie i żydowskie drukowano w Lublinie, Żółkwi i innych miastach.

Główną metodą, jaką posługiwali się autorzy dzieł rabinicznych był tzw. pilpul (pieprz), czyli rozumowanie tylko na pozór słuszne. Metoda ta od czasów rabina krakowskiego Jakuba Polaka (1460——1541) stała się wiodącą w pismach teologicznych.

Ukoronowaniem talmudyzmu światowego było dzieło rabina w Adrianopolu i Safedzie (Palestyna) Jozefa Karo (1488—1575) *Szulchan Aruch* (Nakryty stół), które przez długie wieki było kodeksem podręcznym, przeznaczonym do użytku wewnętrznego i wyrocznią w dziedzinie prawa żydowskiego.

Za najwybitniejszego przedstawiciela literatury rabinicznej w Polsce uchodzi żyjący współcześnie z Karo komentator jego dzieł Mojżesz Isserles (1520—1572), który dzięki przystosowaniu *Szulchan Aruchu* do potrzeb Żydów aszkenazyjskich (w dziele Karo silne były wpływy sefardyjskie) walnie przyczynił się do upowszechnienia tego dzieła w Europie Środkowej i Wschodniej. Isserles był ponadto rektorem jesziby (wyższej uczelni talmudycznej) w Krakowie i autorem wielu dzieł z zakresu prawa talmudycznego, filozofii, kabalistyki, astronomii i innych nauk.

Z innych przedstawicieli literatury rabinicznej w Polsce w dobie jej największego rozkwitu (1550——1648) wymienić można Salomona Lurię (1510—1573) propagatora racjonalnej metody interpretacji Talmudu, Mordechaja Joffę (1530—1612) autora 10-tomowego dzieła pod nazwą *Lewaszim* (Szaty), Jozuego Falka (1550—1614), rektora jesziby we Lwowie i komentatora *Szulchan Aruchu* oraz Jom-Tow Lipmana Hellera (1579—1654), zdecydowanego przeciwnika sofistycznego komentowania Talmudu i autora komentarza do *Miszny*.

Oddzielnym rodzajem twórczości literackiej związanej z literaturą rabiniczną były dzieła apologetyczne i polemiczne, w których wyznawcy mozaizmu występowali w obronie prawd Starego Testamentu w sporze z duchowieństwem katolickim i protestanckim. Najwybitniejszym przedstawicielem tego kierunku w Polsce w XV w. był Jom Tow Lipman z Mühlhausen, który żył w Krakowie w latach 1400—1425. Zachował się jego hebrajski traktat polemiczny *Nizzachon* (Zwycięstwo), w którym wytoczył on walkę nie tylko chrześcijanom i karaitom, ale również scholastyce żydowskiej. Dzieło przepisywane wielokrotnie, po raz pierwszy ukazało się w druku w Altdorfie w 1644 roku. Drugim wybitnym apologetą i polemistą żydowskim w Polsce był Nachman Jakub z Bełżca, który toczył publiczny spór w obronie wiary żydowskiej ze znanym przedstawicielem arianizmu polskiego Marcinem Czechowicem. Ten ostatni opublikował w 1581 roku książkę *Odpis Jakuba Żyda z Bełżca na dialogi Marcina Czechowica, na który zaś odpowiada Jakubowi Żydowi tenże Marcin Czechowic*. Innym apologetą tego okresu był karaita Izaak z Trok (1533—1594), autor obszernego dzieła polemicznego *Chizukmna* (Utworzenie wiary), w którym wykazał sprzeczność między tekstem Nowego Testamentu a nauką chrześcijańską o Trójcy, jak również pomiędzy zasadami etycznymi katolików a ich życiem codziennym. Traktat Izaaka z Trok wywołał w XVII w. żywe polemiki w świecie chrześcijańskim, a w następnym stuleciu stał się przedmiotem zainteresowania encyklopedystów z Wolterem na czele. Wystąpienia publiczne Jakuba z Bełżca i Izaaka z Trok w obronie swych poglądów religijnych świadczą o znacznie większej tolerancji w stosunku do wyznawców mozaizmu w Polsce niż w wielu krajach zachodnioeuropejskich, gdzie tak otwarta propaganda własnego wyznania byłaby w XVI w. nie do pomyślenia.

W wiekach XVII i XVIII, w dobie kontrreformacji ten rodzaj literatury żydowskiej w Polsce zanika, by pojawić się na krótko w latach 1757—1759 w okresie rozwoju frankizmu, kiedy wyższe duchowieństwo katolickie we Lwowie i Krzemieńcu zaaranżowało dysputy między przedstawicielami talmudyzmu i frankizmu. Fragment tych dysput, w których z ramienia ortodoksów wystąpił lwowski rabin Chaim Rappaport, opublikował w swych pamiętnikach Ber Birkental z Bolechowic, uczestnik tych polemik.

NAUKI ŚWIECKIE

Obok prac talmudycznych powstawały w Polsce traktaty poświęcone różnym gałęziom wiedzy świeckiej. Przeważnie były one dziełami rabinów, którzy nawiązywali w swoich rozprawach teologicznych do spuścizny Majmonidesa (1135—1204) najwybitniejszego przedstawiciela arystotelizmu żydowskiego, uczonego dążącego do racjonalistycznego uzasadnienia zasad judaizmu. Zwolennikami idei Majmonidesa w Polsce w XVI w. byli wspomniani wyżej rabini Salomon Luria i Mojżesz Isserles, a także Abraham Horowic i Jakub Kopelman, a w XVII w. Mordechaj Joffe, Eliezer Mann i Manoach Hendel. Wszyscy oni uzasadniali potrzebę pogodzenia zasad wiary z rozumem opartym na znajomości nauk świeckich oraz niejednokrotnie stosowali tę praktykę, powołując się w swych wywodach na osiągnięcia matematyki, astronomii czy medycyny. W XVII w. powstały też w Polsce odrębne traktaty poświęcone matematyce i mechanice, a ich autorami byli matematyk Jehuda ben Abraham — Jakub z Poznania (I poł. XVII w.) oraz mechanik i konstruktor Jezue Moszkowicz z Lublina (2 poł. XVII w.).

W XVII w. rozwinęło się też bujnie żydowskie kronikarstwo, którego najwybitniejszym przedstawicielem był Natan Hanower z Zasławia (zm. w 1683 r.), autor kroniki *Jawein mecula* (Bagno głębokie), wydanej w Wenecji w 1653 roku, a poświęconej głównie tragicznym losom ludności żydowskiej podczas powstania Bohdana Chmielnickiego.

Jedną z najstarszych gałęzi wiedzy uprawianych przez Żydów była medycyna. W okresie średniowiecza lekarze żydowscy słynęli ze swych umiejętności. Zapraszano ich chętnie na dwory papieży i władców świeckich. Wiedzę lekarską Żydzi zdobywali na uniwersytetach w Hiszpanii i Portugalii (prawie do końca XV w.), a także we Włoszech (głównie w Padwie) oraz w Niemczech i Austrii (od poł. XVIII w.).

Mimo przeszkód stawianych im przez Kościół i prowadzonej przeciw nim walki ze strony chrześcijańskich medyków i publicystów, lekarze żydowscy w Polsce cieszyli się dużym powodzeniem. W większych miastach powstały żydowskie rody lekarskie obsługujące zarówno żydowskich jak i chrześcijańskich pacjentów przez całe dziesięciolecia.

Najwybitniejszych lekarzy żydowskich monarchowie polscy zatrudniali w charakterze nadwornych medyków. Pełnili oni te funkcje np. na dworze Kazimierza Jagiellończyka, Jana Olbrachta (Izaczko z Hiszpanii), Zygmunta Starego i Bony (Izaczko z Hiszpanii, Samuel bar Meszulam i Mojżesz Fiszel), Zygmunta Augusta (Salomon Askenazy z Udine i Salomon Kalohora z rodziny emigrantów z Hiszpanii) i Jana Sobieskiego (Emanuel de Jona). Lekarzy żydowskich zapraszali na swe dwory Aleksander Jagiellończyk, Stefan Batory i Stanisław August Poniatowski.

Z lekarzy żydowskich ordynujących na dworach magnatów (m. in. Myszkowskich, Wodzickich, Lubomirskich, Potockich, Radziwiłłów, Sułkowskich) najbardziej zasłynął Józef Salomon del Medigo (1591—1655). Del Medigo urodził się w Kandii, był on uczniem Galileusza i Keplera. Do Polski przybył w 1616 roku. Do 1620 roku praktykował w Lublinie, następnie zaś w Nieświeżu na dworze Radziwiłłów. Podczas swego pobytu w Rzeczpospolitej napisał jedno ze swych najważniejszych dzieł *Księgę Ejloim*, w której występował w obronie teorii Kopernika.

Na przełomie XVII i XVIII w. zasłynął w Europie inny lekarz Tobiasz Kohen (1652—1729) urodzony w Metzu w rodzinie emigranta z Polski, lekarza i matematyka Mojżesza Kohena z Narola. Tobiasz uzyskał doktorat medycyny na uniwersytecie w Padwie, potem przybył do Polski, gdzie przez czas dłuższy ordynował. Był autorem napisanego po łacinie i po hebrajsku traktatu o zoologii oraz dzieła medycznego *Maase Tubie* (Opowiadania Tobiasza) przetkanego, w stylu epoki, encyklopedycznymi wiadomościami z zakresu geografii, astronomii i kosmografii.

Dalszy rozwój nauk świeckich związany jest z oświeceniem żydowskim zwanym Haskalą. Prąd ten głosił wprawdzie hasła emancypacji i asymilacji w dziedzinie kultury i obyczajów, nie odrzucał jednak dawnej tradycji i nie występował przeciw religii. Haskala rozwinęła się w krajach Europy Zachodniej, a jej najwybitniejszym przedstawicielem był Moses Mendelssohn (1729—1786), pisarz i filozof działający w Niemczech. Uwierzył on, że dzięki zmianie obyczajów i reformom w dziedzinie oświaty i nauczania Żydzi potrafią wydostać się z izolacji i uzyskać równouprawnienie. Idee Mendelssohna znalazły żywy oddźwięk w Polsce, gdzie już wcześniej pojawili się uczeni, którzy pragnęli wyrwać się spod wpływu ortodoksyjnych rabinów. Należeli do nich m. in. dwaj Żydzi zamojscy Izrael Zamość, matematyk i filozof, nauczyciel Mendelssohna w Berlinie oraz Salomon Dubno, prawnik, komentator i tłumacz na język niemiecki *Pięcioksiągu*. Głównymi propagatorami Haskali w Polsce byli: filozof Salomon Majmon (1754—1800) oraz przyrodnik i matematyk Mendel Lewin z Satanowa (1749—1823). Salomon Majmon jako reprezentant najbardziej postępowego ludowego nurtu w Haskali, mimo, że mieszkał stale za granicą przygotował z myślą o potrzebach Żydów w Polsce i na Litwie, cykl książek popularnonaukowych, głównie z dziedziny matematyki i fizyki. Z dzieł które napisał, największy rozgłos zyskały prace, w których skrytykował Kanta (1792) oraz autobiografia, stanowiąca pierwszorzędne źródło do dziejów nie tylko Żydów, ale i społeczeństwa polskiego końca XVIII w. Majmon uważał, że do asymilacji i emancypacji Żydów, do zmiany ich losu, mogą przyczynić się walnie światli władcy. W dedykacji na egzemplarzu swego dzieła *Versuch über die Transzendentalphilosophie* (Próba filozofii dotyczącej apriorycznych form poznania, Berlin 1790) przesłanej Stanisławowi Augustowi Poniatowskiemu podkreślił, że byłby szczęśliwy, gdyby mógł się przyczynić „do ustalenia wśród szlachetnych Polaków korzystnej opinii o moim narodzie... i przekonać ich, że nie zbywa im (Żydom) ani na zdolnościach, ani na dobrej woli, lecz brakło im stałego kierownictwa duchowego".

Działalność Mendla Lewina z Satanowa przypadła głównie na czasy Sejmu Czteroletniego. Był on zwolennikiem tzw. reform żydowskich, które starał się przeprowadzić za pomocą polskich magnatów, m. in. ks. Adama Czartoryskiego.

W 1789 roku Lewin opublikował w języku francuskim rozprawę, w której przedstawił swój projekt reform w sprawach żydowskich. Postulował on, by państwo zapewniło Żydom tolerancję religijną, zlikwidowało specjalne podatki dla ludności żydowskiej i zreorganizowało ustrój rabinatu. Państwo powinno dążyć do pozyskania zaufania młodzieży, dając jej wolność, przyzwyczajając do posłuszeństwa i wpajając uczucie przywiązania do ojczyzny. Przede wszystkim zwrócił uwagę na potrzebę zmiany systemu oświaty i wyrobienia u młodzieży zmysłu krytycznego w stosunku do autorytetów religijnych. Podkrélił konieczność przyswojenia Żydom języka polskiego.

Wszystko to miało przyczynić się do powolnego przezwyciężenia wśród Żydów fanatyzmu religijnego, zabobonów i ciemnoty oraz do przełamania izolacji ludności żydowskiej.

W celu dotarcia ze swymi ideami do ludu żydowskiego przetłumaczył szereg utworów religijnych na język żydowski. Po tej samej linii poszli inni zwolennicy Haskali zwani maskilami m. in. Mojżesz Markuze, autor wydanej w języku żydowskim popularnej pracy o medycynie ludowej *Sefer refuot* (Księga leków).

Proces asymilacji propagowanej przez zwolenników Haskali objął tylko bogatszą warstwę. Większość Żydów szczególnie warstwy średnie i najniższe zachowała do końca XVIII w. własną tradycję, kulturę i obyczaje.

Prądy oświeceniowe Haskali przyspieszyły rozwój literatury świeckiej, filozofii, matematyki, astronomii, a także medycyny. Wpłynęły także na zmianę stanowiska części ortodoksów, wśród których w drugiej połowie XVIII w. wyłoniła się grupa oświeconych talmudystów.

Jednym z nich był rabin Elia z Wilna (1720—1797) zwany gaonem (ekscelencją) wileńskim, autor nie tylko komentarza do Biblii i ksiąg kabalistycznych, ale również pracy z zakresu trygonometrii. Znajomość nauk ścisłych (zwłaszcza matematyki i astronomii), gaon wileński uważał za jedną z ważnych dróg wiodących do pogłębienia studiów religijnych, gdyż jak pisał: „Zakon i wiedza ściśle się ze sobą wiążą". Znanym kontynuatorem dzieła Elii z Wilna był jego uczeń Baruch ze Szkłowa (1740—1812) twórca dzieł z zakresu astronomii, anatomii i higieny oraz tłumacz z angielskiego geometrii Euklidesa (1780) i angielskiego podręcznika z trygonometrii (1784).

Szereg światłych i zasłużonych na polu nauki Żydów polskich głównie z grupy maskilów rozwinęła przy końcu XVIII i na początku XIX w. ożywioną działalność naukową i polityczną w krajach Europy Zachodniej. Należeli do nich uczestnicy i działacze polityczni Rewolucji Francuskiej Aron Polak i Załkind Hurwicz rodem z Lublina; Juda Litwak znakomity matematyk holenderski; Izrael Lyons profesor orientalistyki na uniwersytecie w Cambridge; Hayman Hurwicz badacz Biblii i profesor uniwersytetu londyńskiego oraz autor głośnego, opublikowanego w Niemczech tomu poezji *Geschichte von einem polnischen Juden* (Historia Żyda polskiego) Issachar Ber Falkensohn. Ten ostatni po uzyskaniu w 1772 roku na uniwersytecie w Halle doktoratu medycyny wrócił do kraju i podjął praktykę lekarską w Mohylowie.

MISTYCYZM. KABAŁA.   RUCHY MESJANISTYCZNE

Ruchy mesjanistyczne i mistyczne pojawiały się wśród Żydów w okresach szczególnego zagrożenia ich bytu. Idee te szerzyli w czasach starożytnych prorocy Jezajasz i Ezechiel oraz ich następcy, przepowiadając rychłe przyjście mesjasza, który zbawi naród żydowski. Z czasem w filozofii żydowskiej wyłoniła się specjalna nauka o charakterze mistycznoapologetycznym zwana kabałą (nauką). W XIII w. rozwinęła się ona w system filozoficzny oparty na neoplatońskiej teorii emanacji jako reakcja przeciwko racjonalistycznej filozofii Majmonidesa. Pod koniec XIII w. Żyd hiszpański Mojżesz Baal Szem Tow z Leonu ogłosił po aramejsku podstawowe dzieło kabalistów *Sefer ha Zohar* (Księga blasku), które zawierało systematyczny wykład teoretycznej kabały. Dzieło to nie było przedmiotem wykładów w szkołach żydowskich, jak Biblia czy Talmud, ale jako naukę „tajną" przekazywał ją nauczyciel tylko jednemu, najzdolniejszemu i najbardziej lubianemu swojemu uczniowi.

W XVI w. rozwinęła się tzw. kabała praktyczna, a jej najwybitniejszym teoretykiem był żyjący w Palestynie Izak Luria Askenazy (1534—1572) zwany Ari Hakodesz (Święty Lew). Głosił on, że dusza człowieka może wyzwolić się spod władzy duchów nieczystych przez umartwianie ciała, posty, pokuty i odkupienie grzechów oraz że po śmierci grzesznika dusza odbywa wędrówkę i wciela się w inne ciała, aż oczyści się z grzechów. Szerzył wśród uczniów przekonanie o możliwości oddziaływania kabalistów na zjawiska zachodzące w przyrodzie i społeczeństwie przy pomocy magicznej siły tekstu biblijnego. Z polskich przedstawicieli kabały praktycznej największy wpływ na masy żydostwa wywarł Jezajasz Horowic z Kazimierza pod Krakowem (1632—1689), autor dzieła *Sznej Luchot Habrit* (Dwie tablice Arki Przymierza), w której głosił idee skrajnego mistycyzmu i ascetyzmu. Według niego środkami wiodącymi do Boga to „wór, post, popiół, płacz i żałoba". Człowiek według niego nie powinien „iść za zachciankami ciała, lecz za głosem duszy, winien żyć w drżeniu, trwodze, we wstydliwości i czystości".

Ogłaszanie przez zwolenników kabały praktycznej postów, zalecanie umartwień nie mogło jednak przynieść masom żydowskim ukojenia w okresie ruiny gospodarczej, ogólnej pauperyzacji społeczeństwa, organizowanych tu i ówdzie procesów rytualnych i pogromów antyżydowskich. Masy żydowskie pragnęły pociechy, nadziei, marzyły o rychłym przyjściu mesjasza, który uwolni je od wszelkich cierpień i nieszczęść.

W takich to okolicznościach zaczął się szerzyć w Polsce ruch mistyczno-mesjanistyczny zwany sabataizmem.

W odróżnieniu od zwolenników kabały praktycznej sabataizm głosił radość życia oraz złączenie się z Bogiem przez ekstazę. Twórcą tego ruchu był Sabataj Cwi (1626—1676), który w Smirnie w Małej Azji głosił rychłe przyjście mesjasza i wybawienie Żydów z wszystkich nieszczęść, czym zyskał sobie licznych zwolenników w wielu krajach. W 1660 roku Sabataj Cwi, który ogłosił się tymczasowym mesjaszem, udał się w otoczeniu tysięcy wiernych do Stambułu, by koronować się na króla Izraela. Sułtan turecki polecił uwięzić samozwańczego proroka. Ruch Sabataja Cwi wkrótce się załamał, a on sam oskarżony o wywołanie zamieszek, pod groźbą śmierci przyjął islam. Zmarł na zesłaniu w Albanii. Wśród jego zwolenników jeszcze przez kilkadziesiąt lat utrzymywało się przekonanie, że ich prorok żyje i wybawi naród Izraela z niewoli.

W drugiej połowie XVIII w. na podobnym, co sabataizm podłożu powstał nowy ruch religijno-mistyczny związany z działalnością Jakuba Lejbowicza Franka (1726—1791). Frank urodził się w Królówce na Bukowinie. W młodości w Multanie, Bukareszcie i Salonikach studiował księgi kabalistyczne. W 1755 roku przybył do Polski i ogłosił się mesjaszem i następcą Sabataja Cwi. Podobnie jak jego poprzednik, Frank głosił radość życia i połączenie się z Bogiem poprzez ekstazę. Wśród Żydów polskich frankizm znalazł tysiące fanatycznych zwolenników. Był wyrazem protestu przeciw wszechwładzy rabinatu. Wkrótce Frank został oskarżony o sprzeniewierzenie się religii żydowskiej i szerzenie rozpusty. Uchodząc od prześladowań rabinatu Frank udał się w 1757 roku na Wołoszczyznę, gdzie przyjął islam. Już jednak w trzy lata po uzyskaniu zezwolenia sułtana i króla polskiego przybył ponownie do Polski, gdzie przeszedł na wiarę katolicką. Jego ojcem chrzestnym był August III. Wraz z Frankiem na wiarę chrześcijańską przeszło kilka tysięcy jego zwolenników.

W religii żydowskiej frankizm, podobnie jak sabataizm, nie pozostawił głębszych śladów. Znacznie silniejsze piętno wycisnął na Żydach polskich inny ruch mistyczny zwany chasydyzmem (od słowa chasid, co znaczy prawy, sprawiedliwy, bogobojny). Na charakter tego ruchu silny wpływ wywarł protest mas ludowych przeciw oligarchii kahalnej i uczoności rabinów. Twórcą chasydyzmu był Izrael ben Elia zwany Baal Szew Tow (dosłownie Mistrz Dobrego Imienia). Urodził się on w 1700 roku w Okopach Świętej Trójcy na Podolu. Po latach wędrówek w charakterze nauczyciela, znachora-zielarza i pustelnika objawił się w 1736 roku jako pobożny cudotwórca. Zasady jego nauki przedstawił w 1780 roku jego zwolennik i nieodstępny towarzysz, rabin Jakub Hakohen w komentarzu do *Pięcioksiągu* pod nazwą *Toldot Jakow Jozef*.

Chasydyzm głosił, że zbawienie każdego Żyda może nastąpić w każdej chwili, nawet w najtragiczniejszej dla niego sytuacji, o ile siłą swego intelektu skieruje tkwiące w jego duszy iskry Boże ku Wszechmogącemu. Połączenie się myśli z Bogiem może nastąpić drogą nie tylko modlitwy zbiorowej, ale też indywidualnej. Warunkiem zaś jej skuteczności jest bezwzględne odrzucenie smutku. Najwyższy stopień nabożności osiągają cadycy (sprawiedliwi), którzy są pośrednikami między wierzącymi a Bogiem. Cadycy uważani przez wierzących za osoby doskonałe organizowali zbiorowe modlitwy i prowadzone w języku żydowskim radosne biesiady połączone ze śpiewem i tańcem, często graniczącym z ekstazą. Wśród Żydów spragnionych w tych ponurych czasach odrobiny radości i potwierdzenia swej ludzkiej wartości chasydyzm znajdował coraz to szersze rzesze zwolenników, mimo zaciekłej walki z nowym ruchem ze strony zwolenników tradycyjnych form religijnych. Niechęć mas żydowskich do oligarchii kahalnej i talmudystów oraz fakt, że nowa idea nie zerwała z tradycyjnym sposobem życia ludu i nie obaliła istniejących przepisów religijnych sprawiły, że chasydyzm wyszedł zwycięsko z walki z ortodoksyjnym talmudyzmem. Przy końcu XVIII w. nauka chasydzka objęła większość ziem wschodnich Rzeczpospolitej. W późniejszym okresie chasydyzm zwalczający rozwój nauk świeckich, reformę oświaty i dążący do utrzymania Żydów w duchowej i obyczajowej izolacji od społeczeństwa polskiego przekształcił się w ostoję reakcji i obskurantyzmu.

SZTUKA

Twórcami żydowskiej plastyki ściśle związanej z kultem religijnym (malowidła na ścianach bóżnic, pomniki cmentarne, iluminowane rękopisy hebrajskie, rzeźbione ołtarze, ozdoby metalowe dla zwojów Tory) byli prawie wyłącznie wyznawcy mozaizmu, natomiast twórcami dzieł przeznaczonych do użytku domowego (lichtarze, żyrandole, kinkiety, tace metalowe, puszki na rajskie jabłka, kielichy, dzbany, puchary itd.) byli zarówno Żydzi, jak i nie Żydzi.

Architektami bóżnic byli przeważnie Żydzi, ale budowę ich i to najbardziej okazałych powierzano często muratorom chrześcijańskim.

W ornamentyce sztuki żydowskiej powstałej w Polsce przeplatały się motywy używane już w starożytnej Palestynie, z motywami występującymi w dziełach artystów tworzących dla odbiorcy chrześcijańskiego. Ponieważ religia nie pozwalała Żydom odtwarzać postaci ludzkich — na dziełach sztuki i wyrobach rzemiosła artystycznego widnieją często przedstawienia zwierząt mających znaczenie symboliczne, takich jak jeleń, lew, orzeł, tygrys, jak również motywy roślin, np. gałązki winne, palmy z daktylami, owoce granatu, czy też siedmioramienne świeczniki.

Najdawniejszym pomnikiem architektury żydowskiej w Polsce jest Stara Bóżnica w Kazimierzu pod Krakowem zbudowana w końcu XIV w. a przebudowana w 1570 roku przez Mateusza Gucciego. Prototypem tej bóżnicy były synagogi w Wormacji i Ratyzbonie oraz Bóżnica Staro-Nowa w Pradze czeskiej (pocz. XIV w.). Stara Bóżnica w Kazimierzu pod Krakowem jest budowlą dwunawową o 6 polach sklepionych i dwóch filarach z ustawioną w środku bóżnicy bimą (podwyższenie, na którym dawniej odmawiano modlitwy, a obecnie odczytuje się Biblię) i z aron-kodeszem (ozdobną szafą na księgi liturgiczne) przylegającą do ściany. Obok dwunawowych powstawały w Polsce bóżnice jednonawowe np. Stara Bóżnica w Poznaniu przebudowana w XVI w., bóżnica w Gnieźnie (koniec XVI w.) i bóżnicy Remuh (słowo to oznacza skrót imienia fundatorów bóżnicy Rabi Mojżesza i Isserlesa) w Kazimierzu pod Krakowem (1533, 1557). W XVII w. pojawiły się, zwłaszcza na ziemiach południowo-wschodnich i centralnych Rzeczpospolitej obszerne synagogi wsparte na czterech filarach (np. w Łańcucie, Rzeszowie, Nowogródku, Lesznie). Architektura bóżnic murowanych kształtowała się pod wpływem świeckiej architektury mieszczańskiej.

Na kresach wschodnich narażonych stale na najazdy tatarskie powstawały, niekiedy z rozkazu króla, bóżnice obronne, budowane poza obrębem murów miejskich lub na ich obrzeżu, o grubych murach opiętych skarpami, blankami, strzelnicami i wysoko umieszczonymi wąskimi oknami. Równolegle rozwijało się w Polsce budownictwo bóżnicze drewniane, wzorowane na architekturze dworków szlacheckich i kościołów katolickich. Skromne na zewnątrz, odznaczały się nadzwyczaj bogatym wystrojem wnętrza, przede wszystkim malowidłami ściennymi o motywach symbolicznych. W okresie renesansu w polichromiach niektórych bóżnic pojawiły się również postacie ludzkie, np. w scenach biblijnych na ścianach Wysokiej Bóżnicy w Krakowie. Najwspanialsze polichromie posiadały bóżnice drewniane, a wśród nich szczególnym bogactwem formy i precyzją wykonania odznaczały się wielobarwne malowidła w bóżnicy w Mohilowie. Polichromia ta powstała w 1740 roku, a jej twórcą był Chaim syn Izaka Segala ze Słucka, w prostej linii przodek genialnego współczesnego artysty Marka Chagalla. Bardzo bogate wielobarwne malowidła zdobiły też drewniane bóżnice w Przedborzu, Jabłonowie i Kamionce Strumiłowej. Twórcom polichromii bóżniczych gotowych wzorów dostarczały niekiedy iluminowane rękopisy hebrajskie przeważnie o ornamentyce zwierzęcej i roślinnej, które powstawały w Polsce do końca XVIII w. równolegle z grafiką książkową. W rzeźbie synagogalnej dominowała technika płaskiego reliefu występującego najczęściej w snycerskich ozdobach szaf ołtarzowych, a od XVI w. również na kutych z żelaza lub miedzi drzwiach zamykających ołtarzowe nisze. Przepiękne rzeźby świadczące o wysokim kunszcie żydowskich artystów zdobiły niegdyś drzwi w synagogach krakowskich: Remuh, Wysokiej i Starej. Wysokimi walorami artystycznymi odznaczała się także rzeźba na ozdobnych kamiennych nagrobkach. Najwspanialsze zabytki sztuki cmentarnej stworzono w XVII i XVIII w. w Krakowie, Lwowie, Lublinie, Wilnie i Tarnopolu. W Warszawie do najpiękniejszych zabytków tej sztuki należy grobowiec rodzinny Berka Szmulewicza Zbytkowera, dzieło wybitnego muratora i rzeźbiarza żydowskiego Dawida Friedlaendera.

Do końca XVIII w. w żydowskim rzemiośle artystycznym przeważały przedmioty sakralne, zarówno przeznaczone dla bóżnic, jak i do użytku domowego podczas świąt. Należały do nich ozdoby na Torę, świeczniki, lichtarze, srebrne lub pozłacane talerze, misy i dzbanki do polewania rąk kapłanom oraz używane podczas świąt w domu kielichy, lampki chanukowe, kubki, puchary, naczynia na wonności, puszki na rajskie jabłka, puderniczki używane przy akcie obrzezania. Przedmiotom nadawano niekiedy kształty papug, rybek, żołędzi i in. Dekorowano je ornamentyką roślinną i zwierzęcą, posługując się techniką kutą, rytą, filigranową lub granulkową, niejednokrotnie też zdobiono je drogimi kamieniami lub barwną emalią. W XVII i XVIII-wiecznych wyrobach żydowskiego rzemiosła artystycznego obok tradycyjnej symboliki i ornamentyki występują również rozwiązania plastyczne nawiązujące do ogólnopolskich czy też lokalnych wzorów. Orzeł polski pojawił się na parochetach i lambrekinach, rzeźbach ołtarzowych, koronach, lampkach i lichtarzach chanukowych, świecznikach, żyrandolach bóżniczych itp. Na niektórych lambrekinach pochodzących z drugiej połowy XVII w. haftowano rozwinięte sztandary polskie oraz zbroje używane przez wojsko polskie. Znacznie skromniej przedstawiają się zabytki rzemiosła artystycznego nie związanego bezpośrednio z kultem religijnym. Należą do nich wyroby, stosunkowo licznych w miastach polskich, żydowskich złotników, dzieła rzadziej od nich występujących rytowników i pieczętarzy, wytwórców cenionych w Polsce i za granicą medali pamiątkowych. Z miedziorytników żydowskich w Polsce szczególną sławę zdobył Herszko Lejbowicz z Nieświeża (1700—1770), twórca misternych miedziorytów, którymi była przyozdobiona księga pamiątkowa wydana na cześć zmarłej w połowie XVIII w. księżnej Anny z Sanguszków Radziwiłłowej, a także 165 miedziorytów — portretów rodziny i przodków księcia Michała Radziwiłła.

Dziełem żydowskich hafciarzy były przetykane złotem i srebrem zasłony ołtarzowe (parochety), lambrekiny oraz baldachimy rozwieszane nad bimą w uroczyste święta.

Tradycyjnym rodzajem żydowskiego rzemiosła artystycznego było introligatorstwo. Dziełem żydowskich introligatorów były skórzane oprawy ksiąg liturgicznych, inkrustowane niekiedy drogimi kamieniami, kością słoniową lub masą perłową.

SZKOLNICTWO

Szkolnictwo w życiu społeczeństwa żydowskiego odgrywało znaczną rolę. Żydów uważano za naród pisma i książki. Najwyższym autorytetem cieszyli się nie ludzie najbogatsi w gminie, a rabini utożsamiani z osobami dużej mądrości i głębokiej wiedzy. Dla bogatego człowieka zaszczytem było wydanie córki za mąż za choćby bardzo ubogiego, ale zdolnego człowieka, który resztę swego życia spędzi na studiowaniu Talmudu. Dla wielu młodych ludzi nauka przekształcała się w zadanie życiowe. Na temat organizacji szkolnictwa żydowskiego w Polsce w okresie średniowiecza zachowały się jedynie fragmentaryczne wiadomości. Znacznie więcej informacji na ten temat przynosi dopiero wiek XVI. Istniał wówczas obowiązek posyłania chłopów do szkół prywatnych lub kahalnych. Na utrzymanie nauczycieli członkowie gminy płacili specjalny podatek. Od XVI do XVIII w. istniał system dwustopniowego szkolnictwa. W szkołach pierwszego stopnia uczono chłopów w wieku od 4 do 8 roku życia czytania Biblii, pisania po hebrajsku, tłumaczenia tekstów hebrajskich na język żydowski, czterech działań rachunkowych oraz zasad moralności i dobrego wychowania. W szkołach drugiego stopnia, do których uczęszczali młodzieńcy w wieku od 8 do 13 lat przerabiano Talmud i komentarze do niego. Dziewczynki z bogatych rodzin pobierały naukę w domu. Obok hebrajskiego uczono je również języka żydowskiego. Nauka we wszystkich typach szkół odbywała się systemem pamięciowym. Nad edukacją młodzieży w szkołach czuwały komisje kahalne lub specjalne bractwa szkolne zwane Chewrat Talmud Tora. W większych miastach (m. in. w Poznaniu, Lwowie, Krakowie, Lublinie i Przemyślu) tworzono jesziby zwane także jeszybotami — swego rodzaju akademie talmudyczne. Na czele ich stali rabini zwani rektorami. W jeszybotach panował na ogół sofistyczny system nauczania. Polegał on na wyszukiwaniu istotnych lub pozornych sprzeczności (chilukim, po hebrajsku różnice) w Biblii lub Talmudzie i usuwaniu ich przy pomocy przesłanek zapożyczonych z dzieł literatury talmudycznej. Stosowano przy tym argumentację polegającą na wykorzystaniu wieloznaczności słów, stosowaniu trudnych do wykrycia nieścisłości, a nawet posługiwaniu się sofizmatami. Metodę tę zwaną pilpulem (pieprzem) krytykowali niektórzy światlejsi rabini.
W XVI i pierwszej połowie XVII w. polskie jeszyboty cieszyły się wśród Żydów całego świata dużym autorytetem. „Nigdzie wśród rozproszenia Izraelitów nie było tyle nauki, ile w Polsce — pisał Natan Hanower z Zasławia. W każdej gminie utrzymywano jeszibę i coraz to większą dawano płacę rektorowi tejże jesziby, by mógł pracować bez trosk i aby nauczanie było jego zawodem... Każda gmina utrzymywała młodzieńców i wyznaczała im tygodniowe zapomogi, aby mogli pobierać nauki u rabina jesziby". Sytuacja ta zmieniła się radykalnie w okresie wojen w połowie XVII w. Wiele jeszybotów wówczas zamknięto, a szkoły i szkółki kahalne, pozbawione kwalifikowanych nauczycieli podupadały. Wyższy poziom udało się utrzymać tylko w niektórych prywatnych szkołach finansowanych przez bogaczy, gdzie obok dyscyplin tradycyjnych nauczano przedmiotów mogących się przydać w życiu.
Moralista Hersz Kejdanower uskarżał się w 1705 roku, że ojcowie zamiast posyłać dzieci do szkół kahalnych, gdzie ćwiczono ich w hebrajszczyźnie i Zakonie Bożym, posyłają je do szkół, w których główną uwagę zwraca się na naukę języka francuskiego i innych języków, studium zaś Zakonu ustąpiło w cień. Uwagi Kejdanowera dotyczyły tylko nielicznej grupy nowobogackich. W zasadzie

dzieci żydowskie uczyły się według tradycyjnych wzorów, przy czym stan oświaty społeczeństwa żydowskiego w XVIII w. ogólnie biorąc był niższy niż w wieku XVI i pierwszej połowie wieku XVII. Ale nawet i w tym okresie analfabetyzm wśród mężczyzn żydowskich był zjawiskiem bardzo rzadkim.

W okresie Haskali przedsięwzięto pierwsze próby zeświecczenia szkolnictwa żydowskiego. W zaborze austriackim rząd w dążeniu do „dejudaizacji, asymilacji i germanizacji" społeczeństwa żydowskiego starał się przy pomocy drastycznych metod wprowadzić radykalną reformę szkolnictwa. Patentem z 1785 roku Józef II nakazał Żydom posyłać dzieci do ogólnych szkół powszechnych albo do żydowskich szkół świeckich. Przeprowadzenie reformy czasowo powierzył maskilowi (zwolennikowi Haskali, tj. oświecenia żydowskiego) czeskiemu Herzowi Hombergowi. W ciągu kilku lat Homberg powołał do życia 107 szkół męskich i kilka żeńskich, w których zatrudniano około 150 nauczycieli i gdzie naukę pobierało około 4000 uczniów. Szkoły te z niemieckim językiem nauczania prowadzone w duchu obrażającym tradycje żydowskich mas ludowych nie cieszyły się zaufaniem rodziców, którzy coraz rzadziej posyłali do nich swe dzieci. W roku 1806 szkoły te ostatecznie zostały zamknięte.

OBYCZAJOWOŚĆ I ŻYCIE RODZINNE. STROJE

Obyczaje Żydów polskich kształtowały się w warunkach pogłębiającej się izolacji społeczeństwa żydowskiego od otoczenia, m. in. na skutek świadomej polityki zarówno Kościoła jak i Synagogi. W średniowieczu, kiedy ilość Żydów w Polsce była niewielka, nie różnili się oni zbytnio sposobem bycia od swych sąsiadów. Świadczą o tym m. in. uchwały synodów prowincjonalnych okresu od XIII do XV w., które musiały co pewien czas przypominać ludności katolickiej, by nie urządzała wspólnych biesiad z Żydami, nie bawiła się razem z nimi na weselach, nie tańczyła z nimi itd.

W Królestwie Polskim zapewne do końca XV w., a na Litwie jeszcze w XVI w. Żydzi nie wyróżniali się zbytnio swym strojem od otoczenia. Świadczą o tym nie tylko zachowane średniowieczne witraże okien kościelnych, na których przedstawiano Żydów w strojach mieszczańskich, ale także urywek z tzw. drugiego statutu litewskiego z 1526 roku, w którym czytamy, że „Żydzi w kosztownych szatach z łańcuchami złotemi, sami i ich żony w złocie, srebrze chodzić, także srebra na pasiech i na kordziech nosić nie mają". Tradycyjny strój Żydów polskich (czarne bekiety i chałaty) i odmienne od chrześcijan uczesanie (długie brody i pejsy) pojawiły się w Polsce zapewne dopiero w XVI w.

W dzielnicach i miasteczkach żydowskich ośrodkiem, wokół którego ogniskowało się życie społeczno-religijne Żydów była bóżnica. W większości gmin była ona nie tylko miejscem dla odprawiania dwa razy dziennie modłów, ale też męską salą zebrań oraz izbą posiedzeń zarządu i sądu kahalnego. W większych miastach budowano zwane ratuszami żydowskimi oddzielne budynki, w których znajdowało się zazwyczaj więzienie dla skazanych przez sądy kahalne dłużników, złodziei, awanturników oraz osób przekraczających przepisy rytualne. Przy bóżnicy znajdował się budynek szkolny, szpital, łaźnia (parnia) i oddzielnie mikwa, czyli basen dla kobiet.

Ulice w „mieście żydowskim" były wąskie, ciasno zabudowane i na ogół pozbawione chodników i ścieków kanalizacyjnych; od czasu do czasu wybuchały w nich zarazy dziesiątkujące ludność oraz pożary rozprzestrzeniające się bardzo szybko na skutek drewnianej zabudowy domów. Kamienice murowane w dzielnicach żydowskich większych miast pojawiły się dopiero przy końcu XVI w. (m. in. we Lwowie, Krakowie i Poznaniu). Na skutek ograniczonej wielkości dzielnic żydowskich, w miarę zwiększania się liczby mieszkańców potęgowała się ciasnota mieszkaniowa. W poszczegól-

nych domach mieszkało po kilka a nawet kilkanaście rodzin, gnieżdżących się w maleńkich izdeb-
kach, oddzielonych od siebie lichym przepierzeniem. Tylko najbogatsi posiadali kilkupokojowe mieszkania, podczas gdy najbiedniejsi żyli w suterenach i na poddaszach.

Urządzenia mieszkań żydowskich nie różniły się zbytnio od mieszkań chrześcijańskich i zależało to
przede wszystkim od zamożności właścicieli. Elementami wyróżniającymi mieszkania żydowskie od
pozostałych były: przybita na drzwiach mezuza (zwitek pergaminowy z wypisanymi wersetami z Pisma św. i imieniem Bożym, który Żydzi przybijają po prawej stronie drzwi), naczynia liturgiczne oraz
dzieła rabiniczne oprawione w skórę. W domach żydowskich było też więcej niż w chrześcijańskich
naczyń, gdyż zgodnie z rytuałem innych używano do potraw mięsnych, a innych do mlecznych.
Bogatsze domy posiadały też oddzielne naczynia pesachowe, a w biedniejszych przed tymi świętami
oczyszczano używane codziennie naczynia przez wyparzanie we wrzątku.

Tryb życia codziennego zmieniał się w soboty i uroczyste święta. W soboty dorośli spędzali ranek
w bóżnicy, po czym siadano do obfitszego i wystawniejszego niż zazwyczaj stołu. Po południu gos-
podarz domu zabierał się do studiowania Biblii lub Talmudu, a kobiety czytały romanse bądź biblie
kobiece przeplatane legendami i przypowieściami.

Do najważniejszych świąt należały: Jom Kipur (Dzień Pojednania), Sukot (Święto Szałasów), Pe-
sach (Pascha), Chanuka (Święto Odnowienia), Rosz Haszana (Nowy Rok) i Purim. W obchodach
tych świąt można dostrzec nie tylko źródło emocji religijnych i mistycznego przeżycia, ale zarazem
istotny element więzi społecznej. Więź wspólnej modlitwy była wśród wyznawców mozaizmu bardzo
silna. To ona właśnie była tym spoiwem, które przez tysiąclecia łączyło Żydów w całym świecie.
W świętach żydowskich występował wielowarstwowy splot elementu tradycyjnego i sakralnego
z etycznym i historycznym. Obchody świąt inspirowały twórczość ludową i przyczyniały się do rozwoju różnych form artystycznego wyrazu i estetycznej wrażliwości. Święta wymagały muzyki, śpiewu a także odpowiedniej oprawy plastycznej.

Rytuał świąt żydowskich był od XVI do XVIII w. podobny do dzisiejszego, tylko święto Purim
przypadające 14 i 15 dnia miesiąca adar (przełom lutego i marca) i mające upamiętniać wydarzenia
opisane w Księdze Estery, obchodzono w dawnej Polsce weselej i uroczyściej niż w okresach późniejszych. W czasie tych świąt krewni i znajomi odwiedzali się składając sobie życzenia i podarunki;
pieczono okolicznościowe ciasta w formie trójkątnych pierożków zwanych hamanowymi uszami,
a młodzież urządzała zabawy i maskarady (tzw. purim szpiln). W niektórych gminach, zwłaszcza
w zachodniej Polsce, młodzieńcy przygotowywali przedstawienia teatralne, których treścią była
np. historia Mordechaja i Estery, czy też inne opowiadania biblijne.

Narodziny dziecka i obrzezanie syna obchodzono w rodzinach żydowskich bardzo uroczyście. Łóż-
ko położnicy przystrajano, a gości częstowano łakociami i winem. W noc przed aktem obrzezania nowo narodzonego w pokoju matki czuwały kobiety, co miało nie tylko na celu pielęgnowanie cho-
rej, ale zgodnie z przeświadczeniem panującym w dobie rozpowszechniania się kabały, także ustrze-
żenie noworodka przed wpływem czarownic i złych duchów.

Wychowaniem chłopców do lat 3 zajmowali się wyłącznie rodzice, od 4 roku życia obok rodziców
obowiązki wychowawcze przejmowały na siebie także szkoły. Dziewczynki aż do wyjścia za mąż
wychowywano w domu, przyuczając je do roli przyszłej gospodyni. Dla dziewczynek w wieku lat 12,
a dla chłopców w wieku lat 13 urządzano specjalne uroczystości związane z zakończeniem okresu
dzieciństwa. Szczególnie uroczyście obchodzono tzw. bar micewę, tj. moment, gdy chłopak w wieku
13 lat przystępował wraz z dorosłymi do odbywania zbiorowych modłów w bóżnicy.

Małżeństwa zawierano w młodym wieku. Młodzieńcy żenili się najczęściej w wieku 18 lat, dziewczęta wydawano za mąż w okresie dojrzewania tj. między 12 a 14 rokiem życia. Małżeństwa ko-

jarzył swat (szadchen), a o zgodę zainteresowanych na ogół nie pytano. Bogatsze dziewczęta wyposażał ojciec, biedniejsze kahał ze specjalnego funduszu zwanego „kasą kobiet".

Wesela i śluby odbywały się zazwyczaj na dziedzińcu synagogi, pod gołym niebem. Uroczystości weselne w bogatszych rodzinach odprawiano w prywatnych mieszkaniach z wielkim przepychem, z tańcami i muzyką, u biedniejszych zaś bywały one skromniejsze i odbywano je w tzw. tanchausach, czyli domach zabaw, które istniały prawie w każdej większej gminie. Na ślubach przygrywały kapele żydowskie.

W chrześcijańskiej opinii publicznej okresu oświecenia przeważało mniemanie, że pożycie małżeńskie wśród Żydów było wzorowe, chociaż wśród nich samych zdarzały się głosy, że małżeństwa żydowskie były zawierane w zbyt młodym wieku.

CHOROBY I POGRZEBY

W wypadku choroby pomocy lekarskiej udzielali żydowscy lekarze, felczerzy i balwierze; niekiedy uciekano się do porad lekarzy chrześcijańskich. Biedniejsi mogli liczyć na pomoc kahałów, które opłacały personel szpitalny i najmowały balwierzy do stawiania pijawek.

W przeciwieństwie do wesela pogrzeby były bardzo skromne, odbywały się one najczęściej w dniu śmierci zmarłego albo nazajutrz. Nabożeństwo odprawiano na cmentarzu. Urządzeniem pogrzebów zajmowały się bractwa pogrzebowe tzw. Chewra Kadisza, pobierając za to od bogatych Żydów wysokie opłaty, których część przeznaczano na koszty związane z pogrzebami najbiedniejszych współziomków.

ZARYS DZIEJÓW ŻYDÓW POLSKICH
W XIX I XX W.

Żydzi polscy wkraczali w wiek XIX jako społeczność wyróżniająca się od innych mieszkańców podzielonego kraju nie tylko mową, obyczajem i religią, lecz także odrębnym położeniem prawnym, określonym ustawodawstwem państw rozbiorowych oraz krótkotrwałego Księstwa Warszawskiego (1807—1815), stworzonego przez Napoleona. Obowiązujące na ziemiach polskich prawa, których podstawy ukształtowały się za czasów Rzeczpospolitej, ustalały odmienną pozycję ludzi należących do poszczególnych stanów: szlacheckiego, duchownego, mieszczańskiego oraz chłopskiego. Miejsce Żydów w społeczeństwie określały normy odrębne, tworzyli zamkniętą grupę, a tym samym kolejny, samodzielny stan.

Władze państw zaborczych wniosły do owych praw wiele zmian, które przeważnie prowadziły do upośledzenia Żydów w porównaniu z ich położeniem w niepodległej Polsce. W ciągu XIX w., wraz z rozkładem i likwidacją stosunków feudalnych na ziemiach wszystkich zaborów, dokonywało się stopniowo wyzwolenie i równouprawnienie Żydów. Proces ten wiązał się ściśle z wyzwoleńczymi dążeniami innych grup społecznych.

W zaborze austriackim podstawowe normy prawne dotyczące Żydów weszły w życie w końcu XVIII w. Ograniczyły one zakres dozwolonych zajęć (np. odsunięto Żydów od aptekarstwa, piwowarstwa i młynarstwa), zmniejszyły możliwości zajmowania się handlem, a wreszcie zmusiły część z nich do przeniesienia się ze wsi do miast. Dodać należy, iż niektóre miasta nadal korzystały z przywileju *de non tolerandis Judaeis* (np. Biała, Jasło, Wieliczka, Żywiec), w innych zaś władze zaborcze zamknęły Żydów w wydzielonych rewirach (np. Lwów, Nowy Sącz, Tarnów). Wprowadzone pod hasłem reformy przepisy przyczyniły się jedynie do pogorszenia warunków bytu większej części społeczności żydowskiej. Według szacunków w Galicji w latach dwudziestych XIX w. przeszło 40% Żydów nie miało określonych zajęć, tworząc proletariat żyjący „z powietrza" (luftmenszen).

Owe ograniczenia dotyczyły przede wszystkim warstw uboższych, uważanych przez władze austriackie za element uciążliwy, podczas gdy zamożni przedsiębiorcy mieli dość dużą swobodę działania. Polityka ta powodowała powiększanie się różnic majątkowych i społecznych wśród Żydów; jednostki zdołały zdobyć wielkie majątki, podczas gdy zdecydowana większość żyła w nędzy.

Wspomnieć należy o dużej roli, jaką kupcy żydowscy odgrywali w handlu galicyjskim. Ważnymi jego ośrodkami były miasta Lwów oraz Brody; to ostatnie wyrosło na wielkie centrum handlowe Europy Środkowej, korzystając z dogodnych powiązań komunikacyjnych oraz posiadanych w pierwszej połowie XIX w. przywilejów celnych, sprzyjających handlowi z Rosją.

Zasadnicze zmiany w położeniu Żydów galicyjskich nastąpiły po 1848 roku. Wzięli oni udział w ruchu rewolucyjnym Wiosny Ludów, który doprowadził do zbratania polsko-żydowskiego w zaborze austriackim i przyniósł emancypację obywatelską. Wprawdzie zdobycze te zostały utracone w latach reakcji, lecz od 1859 roku władze austriackie zaczęły stopniowo znosić ograniczenia prawne. W latach 1867—1868 dokonało się ostatecznie zrównanie w prawach wszystkich obywateli, a więc i Żydów.

Ciężkie położenie ekonomiczne Galicji znajdującej się na peryferiach monarchii Habsburgów powodowało jednak, że równouprawnienie nie mogło rozwiązać wielu problemów codziennego życia.

Warunki materialne zmuszały ludzi bardziej przedsiębiorczych do emigracji. Na ogół Żydzi galicyj-scy poszukiwali pracy i zarobku w innych krajach Austro-Węgier: nieraz w Wiedniu, także na Wę-grzech, inni wyjeżdżali do państw bałkańskich. Narastająca pod koniec XIX w. wielka fala chłop-skiej emigracji za ocean pociągnęła również wielu Żydów. W latach 1881—1900 ogólne rozmiary wychodźstwa żydowskiego wyniosły około 150 tys. osób, zaś w latach 1900—1914 do Stanów Zjednoczonych Ameryki wyjechało około 175 tys. Żydów galicyjskich.

Ustawodawstwo pruskie, wprowadzone na terytoriach odebranych Polsce, kierowało się również przeciwko biedocie żydowskiej. Prawo ustanowiło szereg ograniczeń, które m. in. zmierzały do usu-nięcia z kraju Żydów, o ile nie mogli wykazać się odpowiednim majątkiem. Wielkie znaczenie miało *Generalne urządzenie Żydów* (General Judenreglement) z 17 kwietnia 1797 roku, dzielące Żydów na protegowanych (Schutzjuden, którzy musieli znać język niemiecki oraz posiadać określony mają-tek) oraz tolerowanych. *Urządzenie* ograniczało prawo Żydów do osiedlania się na wsi, a także naka-zywało usunąć z państwa tych, którzy nie mogli dowieść swych uprawnień do mieszkania w jakimś mieście na terenie zaboru w czasie przyłączenia tej ziemi do Prus. Analogiczne zasady obowiązywały we włączonym po 1815 roku do Prus Wielkim Księstwie Poznańskim, poprzednio stanowiącym część Księstwa Warszawskiego.

Dopiero Wiosna Ludów przyniosła równouprawnienie. W 1848 roku zniesiono różnice między obu kategoriami Żydów, a w 1850 roku zrównano ich w prawach z pozostałymi grupami poddanych króla Prus. Warto zwrócić uwagę, że ustawodawstwo, które przyznało pewne przywileje Żydom władającym językiem niemieckim sprzyjało ich asymilacji językowej, a nawet narodowej. Natomiast wielu innych musiało porzucić ziemie zaboru pruskiego.

Konstytucja Księstwa Warszawskiego wprowadziła formalną równość obywateli, znosząc różnice stanowe, lecz mimo tego ustawodawstwo przewidywało wiele ograniczeń dotyczących Żydów; od-suwało ich od niektórych zajęć, uzależniało nadanie pełni praw obywatelskich od asymilacji kultural-no-obyczajowej. Wokół kwestii żydowskiej rozwinęła się polemika, w której m. in. niektórzy autorzy zarzucali Żydom, że sprzedają złej jakości, tanie towary. Odpowiadał na to wybitny ekonomista Wawrzyniec Surowiecki (1769—1827): „Nie kupiec ani rzemieślnik winien temu, że w tym gatunku dostarcza ich krajowi, ale ubóstwo i niedostatek mieszkańców, których nie stać na lepsze. Gdyby się to zdanie nie sprawdziło w naszym kraju, Żydzi upadliby prędko z podłymi swymi towarami". W polemikach tych widoczne były interesy mieszczaństwa, obawiającego się konkurencji kupców i rzemieślników Żydów, a więc opowiadającego się za ich prawnym upośledzeniem.

Wielka część Żydów żyła w Księstwie ubogo, utrzymując się z trudem z drobnego handlu lub rze-miosła. Jednostki potrafiły zdobyć fortuny. Na czołowym miejscu wymienić należy rodzinę Szmula Zbytkowera (1756—1801), który podwaliny potęgi finansowej położył w ostatnich latach Rzecz-pospolitej, trudniąc się dostawami dla wojska. Wśród mniej znanych wspomnieć warto bankiera Samuela Kronenberga, którego syn odegrał później wielką rolę w życiu gospodarczym i politycznym kraju.

Na Kongresie Wiedeńskim w 1815 roku postanowiono utworzyć z większej części Księstwa War-szawskiego nowy organizm polityczny — konstytucyjne Królestwo Polskie, którego tron zajął ce-sarz rosyjski. Jakkolwiek konstytucja postanowiła równość obywateli, odnosiło się to wyłącznie do chrześcijan, podczas gdy Żydów pozbawiono praw obywatelskich oraz cywilnych. Zachowały swą moc normy prawne z czasów Księstwa Warszawskiego. Żydów nie objął powszechny obowiązek służby wojskowej, w zamian za co obłożono ich specjalnym podatkiem. Również w miastach ludność żydowska nie miała praw miejskich. Zachowano natomiast pewne formy samorządowe. Z rozbudowa-nej dawnej autonomicznej organizacji samorządu żydowskiego w Polsce pozostały jednostki najniższego szczebla — gminy. W 1821 roku nowe przepisy wprowadziły na miejsce dotychczasowych zarządów kahałów — dozory bóżnicze, a ich kompetencje ograniczono do spraw wyznaniowych i akcji charytatywnych. Powierzono im także pewne funkcje administracyjne (m. in. ściąganie podatku rekruckiego).

W społeczności żydowskiej następowały jednak istotne przemiany, związane z procesem różnicowania społecznego. Zwłaszcza w stolicy kraju — Warszawie — kształtowało się środowisko zamożnych przedsiębiorców, powstawała inteligencja złożona przede wszystkim z przedstawicieli wolnych zawodów (lekarze, nauczyciele, artyści, księgarze), gdyż Żydzi nie byli zatrudniani w urzędach i instytucjach publicznych. Te warstwy utrzymywały kontakty z analogicznymi środowiskami polskimi i brały żywy udział w życiu intelektualnym oraz w ruchu politycznym. Stopniowo zbliżały się też do polskiego otoczenia pod względem stroju, obyczaju oraz języka. Rodziły się w nich dążenia do pozyskania pełni praw obywatelskich, a także do wyzwolenia i przeobrażenia całej społeczności żydowskiej. Poszukiwano dróg zreformowania tradycyjnej obyczajowości, dostosowania rozmaitych nakazów i zakazów religijnych do warunków współczesnego życia, uwolnienia się spod dominacji nietolerancyjnych, często prymitywnych kół ortodoksyjnych. Wśród młodzieży żydowskiej powstawały grupy współdziałające z młodzieżą polską w konspiracyjnych pracach oświatowych i politycznych. Powstanie listopadowe 1830—1831 roku nie zmieniło położenia prawnego Żydów. Konserwatywne władze powstańcze nie zamierzały podjąć dalej idących reform w żadnej dziedzinie życia społecznego. Niemniej wśród Żydów warszawskich silne były dążenia do współdziałania w obronie wspólnej ojczyzny, toteż — aby im zadośćuczynić — na początku 1831 roku dopuszczono do Gwardii Narodowej nieliczne, najbardziej zamożne grupy społeczności żydowskiej. Przedstawiciele drobnomieszczaństwa mogli wstępować do Gwardii Miejskiej, a plebs — do Straży Bezpieczeństwa. Po klęsce powstania przepisy prawne dotyczące Żydów zaczęto unifikować z ustawodawstwem rosyjskim. Także i w tej dziedzinie władze zaborcze zmierzały do zatarcia odrębności ziem polskich; jakkolwiek zachowały jeszcze odrębność administracyjną Królestwa Polskiego i jego ograniczony samorząd. Ścierały się rozmaite tendencje. Nieliczne jednostki zdołały uzyskać przywileje osobiste, uwalniające od niektórych ograniczeń.

Władze krajowe przeciwstawiały się dążeniom unifikacyjnym i starały się zachować odrębne prawa dla Żydów. Natomiast w środowiskach postępowych rodziły się projekty przyznania im praw obywatelskich. Te dążenia były zbieżne ze staraniami podejmowanymi przez oświecone koła żydowskie. Spory i dyskusje nie prowadziły wprawdzie do bezpośrednich efektów ustawodawczych, lecz sprzyjały współpracy środowisk polskich i żydowskich, pragnących likwidacji elementów prawnych oraz ekonomicznych ustroju feudalnego, nadal zachowanych w Królestwie Polskim. Obok nadania ziemi chłopom do najważniejszych zagadnień należało przyznanie praw obywatelskich Żydom.

Szczególne ożywienie ruchu politycznego nastąpiło w 1861 roku. Młodzież żydowska wstępowała do kółek spiskowych powstających w wielu miejscowościach. W lecie nadeszły do Królestwa wiadomości o śmierci dwóch znanych i cenionych polskich działaczy emigracyjnych — Joachima Lelewela (1786—1861) oraz Adama ks. Czartoryskiego (1770—1861). Nabożeństwa dla uczczenia ich pamięci odbywały się w kościołach — z udziałem Żydów oraz w synagogach — z udziałem Polaków. Wspólne manifestacje organizowano w rocznice wielkich wydarzeń historycznych. Braterstwo Polaków i Żydów głosił sławny rabin Ber Meisels (1798—1870), który przeniósł się z Krakowa do Warszawy.

W czasie tego ożywienia ogłoszony został od dawna dyskutowany dekret o wyborach do samorządu powiatowego i miejskiego. Prawo głosu otrzymały osoby płci męskiej od 25 roku życia, znające język polski w mowie i piśmie, bez różnicy wyznania, przy wprowadzeniu wysokiego cenzusu majątkowego. Tym samym Żydzi po raz pierwszy zostali dopuszczeni w Królestwie Polskim do wyborów na równych prawach z pozostałymi jego mieszkańcami. Przedstawiciele ich weszli w skład organów samorządowych.

Na jesieni 1861 roku nastąpiły dalsze manifestacje. M. in. 10 października podczas pogrzebu arcybiskupa Antoniego Fijałkowskiego (1778—1861) trzech absolwentów Warszawskiej Szkoły Rabinów rozwinęło polską chorągiew. Manifestacje patriotyczne z udziałem Żydów miały miejsce w wielu innych miastach. Rozpoczęły się represje.

W tych okolicznościach władze rosyjskie zdecydowały się aprobować opracowane przez autonomiczne organy Królestwa Polskiego zasady reformy położenia prawnego Żydów. 5 czerwca 1862 roku ogłoszono dekret, wprowadzający równouprawnienie w wielu istotnych dziedzinach życia. Otwierała się droga do stopniowej emancypacji.

Najbardziej politycznie aktywne środowiska żydowskie uznały dekret za swe zwycięstwo. Konsekwencją tego było ich poparcie dla powstania styczniowego 1863 roku. Powstańczy Rząd Narodowy kilka miesięcy po rozpoczęciu walki proklamował całkowite równouprawnienie Żydów w Polsce. Żydzi znaleźli się wśród szeregowych bojowników, a także wśród przywódców ruchu wyzwoleńczego. Znany bankier i przemysłowiec Leopold Kronenberg (1812—1878), posiadający rozległe stosunki w europejskich kołach bankowych, organizował powstańcze finanse i zdobywał kredyty. Klęska powstania przekreśliła jednak nadzieje oraz zniweczyła reformy Rządu Narodowego.

Postęp w równouprawnieniu Żydów, jaki dokonał się w latach sześćdziesiątych XIX w., sprzyjał rozwojowi życia kulturalnego, politycznego i przeobrażeniom świadomości. W drugiej połowie stulecia zaczęły się kształtować nurty polityczne, które zyskały zwolenników nie tylko wśród stosunkowo mało licznych warstw zamożnych oraz inteligencji, lecz dotarły również do mas ludowych.

Już w poprzednich dziesięcioleciach rozwinął się ruch zmierzający do równouprawnienia Żydów, którego istotnym składnikiem było dążenie do ich „reformy", to znaczy do upodobnienia pod względem stroju i obyczaju do otoczenia, do rozbudzenia życia intelektualnego. Część czołowych przedstawicieli tego kierunku, stopniowo, w polskim otoczeniu, ulegała asymilacji, formułując ją nawet jako cel, do którego powinna zmierzać społeczność żydowska. Zachowywali wprawdzie łączność ze swym środowiskiem, lecz często dzieci ich uważały się — i były uważane — już za Polaków. Z tych środowisk wyszło wiele rodzin zasłużonych dla polskiej kultury, jak np. Słonimscy, Natansonowie, Toeplitzowie.

Program asymilacji z trudem docierał do żydowskich warstw ludowych, m. in. także z tego powodu, że nie miały one na ogół dostępu do innych szkół poza religijnymi i nie miały warunków do opanowania języka polskiego oraz przyswojenia sobie odmiennych obyczajów. Co więcej, po zdobyciu podstaw równouprawnienia program asymilacyjny nie jawił się już jako jedyna droga emancypacji społecznej. Do warstw ludowych przemawiały natomiast inne koncepcje polityczne.

Pod koniec XIX w. dołączył się do tego jeszcze jeden czynnik. W całej Europie podniosła się fala nacjonalizmów, kierujących się m. in. przeciwko Żydom. Francja znała sprawę Dreyfusa (1894 r.), Czechy — sprawę Hilsnera (1899 r.) Rosja — sprawę Bejlisa (1913 r.). W Niemczech Richard Wagner pisał: „wyzwolenie spod jarzma judaizmu jest dla nas najwyższą koniecznością". W Królestwie Polskim nurt ten reprezentował Roman Dmowski (1864—1939) i stworzona przez niego narodowa demokracja.

Pożywką dla nastrojów antysemickich była narastająca konkurencja wśród drobnomieszczaństwa. W Warszawie i w innych miastach pojawiły się wezwania do bojkotu sklepów należących do Żydów, zdarzały się napady. Pisarz i publicysta Leo Belmont (1865—1941) pisał: „w niektórych sklepach pojawił się wiele mówiący napis «sklep chrześcijański» za wskazaniem p. Romana Dmowskiego, który dał nowy komentarz do Ewangelii, iż Chrystus wypędził ze świątyni handlarzy żydowskich tylko po to, aby wprowadzić do niej przekupniów polskich". Wprawdzie postępowe koła polskie przeciwstawiały się tym tendencjom, lecz nie zdołały im zapobiec. Tendencje te przyczyniły się do porażki nurtu asymilatorskiego, jako koncepcji politycznej, któraby mogła zdobyć masowe wpływy w społeczności Żydów polskich.

Trudne położenie ekonomiczne, dyskryminacja przez władze rosyjskie, a wreszcie pojawienie się antysemityzmu przyczyniły się do emigracji Żydów. Kierowali się oni do niektórych państw europejskich, ale przede wszystkim do Stanów Zjednoczonych Ameryki. Wychodźcy zazwyczaj zachowywali silną więź uczuciową z krajem rodzinnym.

W końcu XIX w. wśród proletariatu żydowskiego, niektórych grup zubożałego drobnomieszczaństwa oraz części inteligencji wywarły znaczne wpływy ideologie partii robotniczych, później pojawił się ruch syjonistyczny, a wreszcie przybrał formy organizacyjne ruch konserwatywny. Mniejsze znaczenie miały inne ugrupowania oraz kierunki ideowe.

Wskazane główne prądy polityczne i ideologiczne nie były w pełni jednolite. Partie robotnicze dzieliły istotne różnice poglądów na strategię oraz taktykę. Obok organizacji jednoczących członków bez różnicy narodowości, działały takie, które nosiły charakter narodowy. Wśród proletariatu żydowskiego silne wpływy zdobył Bund utworzony w 1897 roku na konspiracyjnym zjeździe w Wilnie. Bundowcy głosili tezę o możliwości rozwiązania społecznych i narodowych zagadnień Żydów w krajach, w których zamieszkują, a więc również na ziemiach polskich. Obok niego istotne wpływy zdobyła partia Poalej Syjon dzieląca się na prawicę i lewicę. Wielu Żydów należało do Socjaldemokracji Królestwa Polskiego i Litwy. Polska Partia Socjalistyczna wyodrębniła w swej strukturze Organizację Żydowską, z której wyszło wielu znanych działaczy.

Ruch robotniczy zmierzał do rozwiązania problemów narodowych przez przekształcenie ustroju społecznego, likwidację wyzysku człowieka przez człowieka, właściwego systemowi kapitalistycznemu. Odmienne stanowisko zajmował ruch syjonistyczny, który na czoło wysuwał właśnie kwestię narodową. Uznawał za nierealne rozwiązanie jej na drodze współpracy ludzi pracy niezależnie od narodowości, traktował konflikty na tle narodowościowym jako zjawisko nieuniknione i widział jedyną perspektywę w budowie państwa żydowskiego na terenie Palestyny. Zrealizowanie tego celu miało stać się głównym zadaniem każdego Żyda, choć równocześnie należało bronić własnych interesów w kraju aktualnego zamieszkania. Również syjoniści dzielili się na odłamy o rozmaitych koncepcjach strategicznych i taktycznych.

Konserwatyści uznawali za najważniejsze zagadnienie ochronę tradycji utożsamianej z religią oraz skrupulatne przestrzeganie nakazów obyczaju, czemu towarzyszyła znaczna obojętność dla pozostałych spraw. Wobec władz zajmowali programowo postawę lojalną, głosząc pełne posłuszeństwo prawom państwowym. Nie stworzyli na razie własnej organizacji politycznej. Ich wpływy opierały się na autorytecie cadyków, wokół których „dworów" skupiali się wierni chasydzi.

W 1918 roku niektóre grupy ludności żydowskiej, zwłaszcza koła konserwatywne, dystansujące się od zagadnień nie dotyczących bezpośrednio Żydów, zajęły wobec odrodzenia państwa polskiego postawę neutralną i wyczekującą. Niektórzy obawiali się jakichkolwiek zmian, gdyż — jak uczyło doświadczenie pokoleń — zazwyczaj przynosiły nieszczęścia. Wydawać się mogło, że na rzecz takiego poglądu przemawiały zdarzające się w niektórych okolicach kraju tumulty i napady na Żydów. Nie należy jednak przeceniać rzeczywistego znaczenia tych wypadków. Wywoływały je nieraz konflikty natury społeczno-ekonomicznej, między warstwą kupiecką a jej małomiasteczkowymi lub wiejskimi klientami. Kiedy indziej podłoże było kryminalne, jak np. we Lwowie, gdzie pogrom ulic żydowskich był dziełem przestępców wypuszczonych z więzień.

Konserwatyści, reprezentowani przez ortodoksyjną partię Agudas Israel — w Polsce powstała w 1916 roku — zadeklarowali lojalność wobec państwa polskiego wkrótce po ukonstytuowaniu się jego władz. Natomiast przedstawiciele innych kierunków, zwłaszcza organizacji socjalistycznych lub do nich zbliżonych, bardzo często nie tylko deklarowali pozytywny stosunek do niepodległości Polski, lecz brali czynny udział w walce o wyzwolenie. Żydzi znaleźli się w szeregach Legionów zorganizowanych przez Józefa Piłsudskiego (1867—1935), a także w innych formacjach ochotniczych głoszących program niepodległej Polski.

Taki stosunek do nadchodzących przemian wiązał się z przekonaniem, żywionym zarówno wśród warstw ludowych polskich, jak i żydowskich, że odradzające się państwo polskie będzie miało prawdziwie demokratyczny charakter, a zatem przyniesie rozwiązanie palących problemów społecznych i politycznych i stanie się państwem sprawiedliwości dla ludzi pracy.

Polska kształtowała się jako republika burżuazyjna, pod wpływem wielkiego ruchu rewolucyjnego, który ogarnął w latach 1917—1919 całą Europę Środkową i Wschodnią. Wprawdzie odrodzone państwo nie rozwiązało podstawowych zagadnień ekonomicznych i społecznych, lecz ustawodawstwo jego zapewniało całkowite równouprawnienie wszystkich obywateli, niezależnie od narodowości i wyznania. Gwarantowała to konstytucja, uchwalona przez Sejm w marcu 1921 roku. Tym samym zniesione zostały odziedziczone po zaborcach normy prawne różnicujące pozycję poszczególnych grup mieszkańców kraju. Jednakże niektóre kwestie wywoływały wątpliwości interpretacyjne. W 1931 roku Sejm uchwalił więc ustawę uchylającą expressis verbis wszelkie przepisy dyskryminujące obywateli z powodu religii, narodowości lub rasy. Pod tym względem niepodległość nadzieje spełniła.

Znacznie gorzej było natomiast w dziedzinie stosunków ekonomicznych. Polska w latach międzywojennych znajdowała się w niezmiernie trudnym położeniu gospodarczym. Jeśli nawet pominiemy wahania koniunktury występujące we wszystkich krajach kapitalistycznych (szczególnie głęboki spadek produkcji, zatrudnienia oraz dochodów nastąpił w pierwszej połowie lat trzydziestych), to przecież przyrost wolnych miejsc pracy pozostawał w tyle za wzrostem liczby ludności. Zwiększało się przeludnienie wsi, co powodowało ograniczanie rynku wewnętrznego, od którego zależało zdobycie środków do życia przez drobnych kupców oraz rzemieślników. W miastach prawdziwą klęską społeczną stało się bezrobocie. W tych okolicznościach — zwłaszcza w latach trzydziestych — spotęgowała się pauperyzacja warstw utrzymujących się z prowadzenia małych sklepów oraz warsztatów; ekonomiści mówili o przeludnieniu handlu i rzemiosła.

Wśród niemal 32 mln mieszkańców Polski (wg spisu ludności z 1931 roku) Żydzi stanowili niecałe 10% (około 3 mln). Wśród nich 42% utrzymywało się z pracy w przemyśle, górnictwie i rzemiośle, 36% — z handlu i pokrewnych gałęzi. Inne zawody odgrywały znacznie mniejszą rolę. W niektórych gałęziach gospodarki Żydzi stanowili większość. Dotyczyło to przede wszystkim handlu detalicznego, gdzie 71% kupców było Żydami. W przemysłach odzieżowym i skórzanym odsetek ten sięgał niemal 50%; charakterystycznymi zajęciami Żydów było krawiectwo i szewstwo. W warunkach masowego bezrobocia, pomimo nadmiaru niektórych specjalności rzemieślniczych, nie mieli oni szans znalezienia nowej pracy. Zarazem narastała konkurencja kupców i rzemieślników innych narodowości. Na wsi coraz poważniejszym konkurentem kupców prywatnych była spółdzielczość.

Błędne byłoby przypuszczenie, że koncentracja Żydów w niektórych tylko gałęziach gospodarki oraz ich pauperyzacja wynikały z polityki władz. To prawda, że administracja niechętnie widziała pracowników narodowości innej niż polska w przedsiębiorstwach państwowych, zwłaszcza o znaczeniu wojskowym (koleje, zakłady zbrojeniowe itp), toteż usuwała z nich również Żydów. Podstawowa przyczyna kryła się jednak w przeszłości, w stosunkach ukształtowanych jeszcze za czasów zaborów.

Przezwyciężenie tradycyjnej struktury zawodowej i społecznej Żydów wymagało nie tylko przyśpieszenia rozwoju gospodarczego całego kraju, lecz także stworzenia warunków sprzyjających zdobywaniu nowych zawodów, dotąd nieznanych lub niepopularnych wśród społeczności żydowskiej. Tę ostatnią kwestię dostrzegały zresztą niektóre organizacje żydowskie, podejmujące akcje kształcenia młodzieży w różnych specjalnościach zawodowych; czynili tak zwłaszcza syjoniści w związku z planami palestyńskimi, przygotowując kadry fachowych osadników. Rozmiary tych działań społecznych w porównaniu z liczbą ludności żydowskiej w Polsce były skromne, gdyż zależały od zdobycia środków finansowych oraz pozyskania chętnych. Na podobne przedsięwzięcie w skali masowej nie mogło również wystarczyć środków państwowych, gdyż rząd borykał się nieustannie z brakiem pieniędzy na najbardziej niezbędne wydatki. Co więcej, nawet gdyby tych środków wystarczyło, wykształceni w ten sposób fachowcy rozmaitych specjalności nie znaleźliby pracy.

Te same obiektywne przyczyny decydowały o tym, że nie było nadziei na przezwyciężenie koncentracji robotników żydowskich w małych przedsiębiorstwach i warsztatach rzemieślniczych. W nich utrzymywało się z pracy przeszło 70% miejskiego proletariatu żydowskiego.

Dodać jednak należy, że na owe zjawiska wpływały również niektóre tradycje obyczajowe i religijne. Religijna powinność odpoczynku sobotniego powodowała, że trudno było w dużym przedsiębiorstwie zatrudniać Żydów razem z robotnikami innych narodowości, gdyż odmienność dni świątecznych dezorganizowała rytm produkcji. Nawet przedsiębiorcy Żydzi niechętnie zatrudniali żydowskich robotników. Oczywiście, nie wszyscy byli religijni i odmawiali pracy w sobotę, lecz ci znów wywoływali u pracodawców obawy, czy nie należą przypadkiem do organizacji socjalistycznych lub komunistycznych, a więc mogą przyczynić się do zorganizowania załogi do walki w obronie swych interesów. W niewielkim przedsiębiorstwie natomiast, w którym sam właściciel uczestniczył w produkcji lub zarządzaniu, w sobotę zawieszano pracę.

Kwestia żydowska w Polsce międzywojennej była więc przede wszystkim zagadnieniem społecznym. Bez rozwiązania problemów wspólnych wszystkim pracującym nie istniały szanse zmiany warunków życia Żydów polskich. Tymczasem zaś system kapitalistyczny nie dawał perspektywy radykalnego przezwyciężenia zacofania gospodarczego i zwiększenia liczby miejsc pracy, pomimo wysiłków rządu podejmowanych zwłaszcza w drugiej połowie lat trzydziestych.

Nadal trwała więc emigracja. Nie posiadamy o niej w pełni wyczerpujących danych. Wiadomo, że w latach 1927—1938 wyemigrowało na stałe z Polski niemal 200 tys. Żydów, z tego do Palestyny 74 tys., do Argentyny 34 tys. i do Stanów Zjednoczonych Ameryki 28 tys. Największe nasilenie emigracji przypadło jednak na lata dwudzieste, natomiast od 1929 roku w następstwie wielkiego kryzysu gospodarczego, kraje przyjmujące dotąd wychodźców wprowadzały coraz dalej idące restrykcje. Dotyczyło to m. in. Stanów Zjednoczonych Ameryki. Dlatego też od początków lat trzydziestych emigracja za ocean uległa zasadniczemu ograniczeniu, natomiast zwiększały się rozmiary wychodźstwa do Palestyny. Według najbardziej prawdopodobnych obliczeń ogólne rozmiary emigracji Żydów polskich do Palestyny w latach 1919—1942 osiągnęły niemal 140 tys. osób, czyli około 42% ogółu przybyszów do tego kraju; największe nasilenie przypadło na lata 1933—1936.

Na gruncie trudnej sytuacji gospodarczej oraz zmian prawnego i politycznego położenia Żydów po odrodzeniu niepodległej Polski, kształtowały się rozmaite programy działania. Tradycyjny program Agudas Israel, sprowadzający się do przestrzegania zasad religii, lojalności wobec państwa i oczekiwania na przyszłe Królestwo Boże nie mógł wystarczyć. Wprawdzie pozycję partii wśród ubogiego drobnomieszczaństwa podtrzymywał autorytet cadyków — szczególnie ważną rolę w kierownictwie Agudas Israel odgrywał znany, przez wielu ostro krytykowany cadyk z Góry Kalwarii — lecz jej dążenie do utrwalenia swego rodzaju getta ideowego — izolowania Żydów od niewiernego otoczenia — powodowało z roku na rok zmniejszanie wpływów. Partia stopniowo skłaniała się do zaakceptowania perspektywy budowy państwa w Palestynie.

Natomiast utrzymywały się, a nawet wzrastały wpływy partii robotniczych. Najpoważniejsze znaczenie zachował Bund, pod niektórymi względami bliski koncepcjom radykalnej lewicy, choć występowały w jego szeregach różnice poglądów. Od programu komunistów różnił się m. in. tym, że postulował autonomię kulturalno-narodową dla mniejszości narodowych, a zwłaszcza dla Żydów, głosił również konieczność zorganizowania całego proletariatu żydowskiego w odrębnej — narodowej partii. Wielu działaczy Bundu uznawało jednak potrzebę dyktatury proletariatu (w programie z 1930 roku dopuszczano możliwość tej dyktatury). Partia zdecydowanie przeciwstawiała się konserwatystom i odrzucała religię, zarzucała Agudas Israel, że broni interesów warstw majętnych, lekceważąc potrzeby mas ludowych. Do najwybitniejszych działaczy Bundu należeli Wiktor Alter (1890—1941), Henryk Erlich (1882—1941), Szmul Zygielbojm (1895—1943).

Bund — podobnie jak nielegalna Komunistyczna Partia Polski, do której również należało wielu Żydów, a także Polska Partia Socjalistyczna — widział jedyną szansę rozwiązania kwestii żydowskiej w Polsce na drodze budownictwa socjalistycznego społeczeństwa, bez wyzysku człowieka przez człowieka. Sojuszników dostrzegał w robotnikach wszystkich narodów zamieszkujących kraj. Wszelkie koncepcje emigracyjne zdecydowanie odrzucał, rozumiejąc całkowitą nierealność zorganizowania wychodźstwa kilkumilionowego narodu. Działacze socjalistyczni uważali ideę palestyńską za osłabianie sił proletariatu walczącego o zmianę stosunków społecznych, kierowanie uwagi ku rozwiązaniom, które w najlepszym razie mogły stanowić szansę dla nielicznych.

Radykalny program społeczny głosiła również Poalej Syjon Lewica, która perspektywy Żydów widziała w rewolucji socjalistycznej i wprowadzeniu autonomii kulturalno-narodowej. W dalszej przyszłości akceptowała ideę budowy socjalistycznego państwa żydowskiego w Palestynie, toteż brała udział w pracach palestyńskich. Do czołowych działaczy należeli m. in. Antoni Buchsbaum, Szachna Sagan, Józef Witkin (Zerubawel — 1876—1912). Znacznie skromniejsze były wpływy Poalej Syjon Prawicy, która kładła nacisk przede wszystkim na prace palestyńskie — jak nazwano działania przygotowujące przyszłe państwo żydowskie, kształcąc dla jego potrzeb kadry wykwalifikowanych rolników, robotników i żołnierzy.

Wszystkie organizacje robotnicze, niezależnie od dzielących je różnic, współpracowały w wielu ważnych zagadnieniach bieżących. Wspólnie podejmowano walkę z akcjami pogromowymi inicjowanymi przez prawicę narodowych demokratów. W Warszawie powstała nawet konspiracyjna organizacja, przygotowana do stawiania oporu bojownikom nacjonalistycznym, w której uczestniczyli zarówno Żydzi, jak i Polacy związani z ruchem robotniczym.

Przeciwstawne koncepcje głosiły ugrupowania syjonistyczne, które przyszłość Żydów widziały wyłącznie w emigracji i budowie własnego państwa. Prace palestyńskie stawały się celem najważniejszym, bieżące zagadnienia życia politycznego schodziły na plan dalszy, aczkolwiek nie były bynajmniej lekceważone.

Najważniejszą organizacją po odzyskaniu niepodległości była Organizacja Syjonistyczna w Polsce, złożona z trzech regionalnych centrali (dla dawnego zaboru austriackiego, Galicji wschodniej i Galicji zachodniej). Oprócz tego występowały w niej frakcje, co doprowadziło później do rozłamu, wyodrębnienia się tzw. syjonistów-rewizjonistów i utworzenia przez nich Nowej Organizacji Syjonistycznej. Wśród najwybitniejszych działaczy syjonistycznych wymienić należy przede wszystkim rabina Abrahama Ozjasza Thona (1870—1936), Emila Sommersteina (1883—1957), Henryka Rosmarina (1882—1955), wszyscy z frakcji Et Liwnot oraz świetnego mówcę i wieloletniego posła na Sejm Izaaka Grünbauma (1879—1970) z frakcji Al Hamiszmar.

Syjonizm pozostawał w ostrej opozycji wobec ruchu robotniczego oraz konserwatystów. Ci ostatni zarzucali syjonistom profanację tradycji religijnej, m. in. dlatego, że w przyszłym państwie żydowskim językiem dnia powszedniego miał stać się hebrajski — mowa ksiąg świętych. Inne nurty polityczne uznawały przeważnie język żydowski za mowę narodu.

Pozornym jest tylko paradoksem, że ruch syjonistyczny znalazł partnera w polskich kołach nacjonalistycznych. W latach trzydziestych polskie koła rządowe udzielały mu pewnej pomocy; zwłaszcza radykalnemu ugrupowaniu syjonistów-rewizjonistów, dążącemu do zdobycia własnego państwa także przy użyciu siły zbrojnej. Płaszczyzną porozumienia stał się program emigracyjny. Rząd polski nie widział bowiem szans rozwiązania problemów społecznych kraju własnymi siłami, pragnął zaś pobudzić emigrację grup najuboższych, ciążących na rynku pracy. W drugiej połowie lat trzydziestych dołączył się do tego jeszcze jeden czynnik. Władze sanacyjne — obozu politycznego sprawującego władzę dyktatorską — przejęły bowiem z arsenału narodowych demokratów niektóre hasła nacjonalistyczne i starały się wzmóc przede wszystkim emigrację mniejszości narodowych.

Ważnym terenem walk politycznych między ugrupowaniami żydowskimi stały się gminy wyznaniowe. Była to instytucja w założeniu religijna, wywodząca się z dozorów bóżniczych dawnego zaboru rosyjskiego. Zasady działania gmin uregulował dekret z 1927 roku, który obowiązywał na terenie całego państwa poza Śląskiem. Do gminy należeli z mocy prawa wszyscy wyznawcy judaizmu zamieszkali na jej obszarze. Oczywiście, człowiek niewierzący mógł wystąpić z tej organizacji, pozbawiając się tym samym obowiązków, jak i praw przysługujących jej członkom. Mało kto jednak to czynił.

Zgodnie z dekretem do kompetencji gmin należało utrzymanie rabinatu, budynków i urządzeń służących potrzebom religijnym, cmentarzy, czuwanie nad wychowaniem religijnym młodzieży, troska o zaopatrzenie wiernych w mięso koszerne, zarządzanie majątkiem gminnym i fundacjami, dobroczynność. Tak określona sfera działania wykraczała poza czynności czysto religijne; zarządzanie fundacjami oraz pomoc dla ubogich miały przecież kapitalne znaczenie, zwłaszcza w latach wielkiego kryzysu gospodarczego. Od władz gminy zależało nie tylko zaspokojenie potrzeb religijnych, lecz również polityka socjalna. Z tych względów gminy wyznaniowe wywoływały zainteresowanie niektórych partii politycznych.

Tradycyjnie w zarządach gmin dominowały wpływy Agudas Israel. Już w latach dwudziestych jednak w niektórych miejscowościach, zwłaszcza w ośrodkach proletariatu przemysłowego, reprezentowany był Bund oraz syjoniści. Podczas wyborów przeprowadzonych wiosną 1931 roku owe ugrupowania świeckie rzuciły wyzwanie ortodoksom, dostrzegając możliwości przekształcenia instytucji wyznaniowej w swego rodzaju namiastkę samorządu kulturalnonarodowego. W tym konflikcie przedstawiciele Agudas Israel uciekali się do rozmaitych nadużyć wyborczych, pozbawiali przeciwników prawa głosu pod zarzutem, że występują przeciw religii, korzystali z pomocy władz administracyjnych, które obawiały się, by samorząd wyznaniowy nie stał się instytucją polityczną. Przeciwnicy ich konstatowali słusznie, że konserwatyści we władzach wielu gmin pomijali potrzeby mas pracujących, a nawet popełniali nadużycia.

Druga połowa lat trzydziestych przyniosła wiele zjawisk, które sprzyjały narastaniu nastrojów emigracyjnych wśród Żydów polskich. W kraju trudne położenie ekonomiczne nie rokowało perspektyw zmian na lepsze, emigracja mogła ułatwić zdobycie środków do życia. W niektórych środowiskach młodzieży syjonistycznej narastała niecierpliwość, gdyż oczekiwane proklamowanie państwa żydowskiego nie następowało. Mnożyły się burdy organizowane przez narodowych demokratów; wprawdzie przeciwko awanturnikom występowały organizacje postępowe, wielu wybitnych uczonych, lecz w praktyce nacjonalistom udało się doprowadzić do wprowadzenia w poszczególnych uczelniach rozmaitych regulaminów dotykających studentów pochodzenia żydowskiego (nie tylko tych, którzy uważali się za Żydów), niektóre zarządy miejskie uchwalały przepisy pośrednio dyskryminujące Żydów, choć formalnie zgodnie z prawem. Bywały wypadki, gdy bojówki pobiły profesorów przeciwstawiających się antysemityzmowi (np. prof. Edwarda Lipińskiego, prof. Tadeusza Kotarbińskiego). Notowano wypadki pogromów w małych miasteczkach, gdy podburzony przez tzw. narodowców tłum, składający się w dużej mierze z elementów przestępczych, rabował i demolował stragany i sklepy żydowskie, maltretował ich właścicieli. Nie zawsze pomoc robotników zdołała powstrzymać w porę napastników. Stanowisko rządu okazało się dwuznaczne. Wprawdzie potępiał zdecydowanie ekscesy, lecz równocześnie premier Felicjan Sławoj Składkowski (1885—1962) oświadczył w Sejmie: „bojkot ekonomiczny? Owszem!". Kościół także potępiał zajścia, lecz równocześnie poważni autorzy publikowali w pismach katolickich rozważania, zalecające chrześcijanom separowanie się od Żydów.

Wielkie znaczenie miały wydarzenia w Niemczech. Po dojściu do władzy Adolfa Hitlera rozpoczęło się tam prześladowanie Żydów, wśród których było także około 50 tys. obywateli polskich. Wywoływało to oficjalne protesty polskich konsulatów oraz ambasady. Placówki te podejmowały kroki celem przyjścia z pomocą prześladowanym. Władze polskie obawiały się m. in. tego, że narastające prześladowania doprowadzą Żydów obywateli polskich do nędzy, a następnie zmuszą ich do powrotu do kraju, gdzie nie znajdą środków do życia. Wielu pracowników polskich konsulatów — jak dowodzą tego raporty przesyłane do Warszawy — podejmowało interwencje także z pobudek czysto humanitarnych, pragnąc choć w pewnej mierze pomóc prześladowanym.

Interwencje te powstrzymywały III Rzeszę przed zastosowaniem wobec Żydów polskich wszystkich środków represyjnych, wymierzonych we własnych obywateli Żydów. Nie mogły jednak radykalnie zmienić ich położenia, a w latach 1938—1939 coraz częściej się zdarzało, że obywatele polscy byli przepędzani przez granicę pod groźbą śmierci, pozbawieni całego swego dobytku. Do historii przeszła zwłaszcza wielka akcja w ostatnich dniach października 1938 roku, gdy w ten sposób wypędzono z Niemiec około 13 tys. (wg danych polskich konsulatów) lub 20 tys. (wg ocen niektórych badaczy) Żydów polskich. Ofiary przez kilka dni przebywały pod gołym niebem, między posterunkami granicznymi, nim wpuszczono je do Polski. Tutaj, nie mając środków do życia, przez wiele tygodni oczekiwali w obozie przejściowym w pobliżu granicy.

Te wszystkie wydarzenia skłaniały do pesymistycznych przewidywań przyszłości. Polska znalazła się wobec bezpośredniego zagrożenia. Ci, którzy od dawna przygotowywali się do wyjazdu, mieli teraz dodatkowy motyw skłaniający do wyjazdu. Inni natomiast — zdecydowana większość — którzy nie mieli możliwości, ani chęci porzucenia ziemi polskiej, którą z pełnym prawem uważali za ojczystą, oczekiwali z niepokojem biegu wydarzeń.

W obliczu zagrożenia ze strony III Rzeszy społeczność żydowska w Polsce wykazała wielką ofiarność na rzecz obrony Rzeczpospolitej. Wyrażała się ona w formach materialnych: udziale w pożyczkach na cele obronności, zbiórkach funduszy na rzecz wojska. Ujawniła się również w tragicznym okresie września 1939 roku. Wybitny uczony Emanuel Ringelblum pisał o nastrojach tych tygodni: „Żydów warszawskich ogarnął entuzjazm, żywo przypominający rok 1861, erę zbratania". Podczas oblężenia stolicy organizacje żydowskie wzięły czynny udział w organizowaniu obrony cywilnej i pomocy dla poszkodowanych. Znany i ceniony historyk żydowski Bernard Mark wspominał niezwykły pochód Żydów na ulicach Warszawy: „W pierwszych szeregach kroczyło pięciu znanych rabinów w długich, jedwabnych, czarnych chałatach i sobolich czapkach (...). Za nimi szła młodzież uczelni rabinackich z łopatami na ramieniu". Wielu Żydów uczestniczyło w kopaniu umocnień, nawet w dzień święty — w sobotę. Inni zaś chwytali za broń i brali udział w walce ze wspólnym wrogiem. Porażka wojsk polskich w kampanii wrześniowej 1939 roku otwierała nowy, tragiczny okres wspólnej historii Polaków i Żydów.

DRUKARZE, WYDAWCY, KSIĘGARZE

Wspominając o żydowskim handlu na dawnych ziemiach polskich, historycy najczęściej nie dostrzegają, że żydowscy kupcy, a nawet kramarze jako jedni z pierwszych prowadzili na ziemiach polskich handel książką, co było prapoczątkiem księgarstwa a następnie drukarstwa i edytorstwa. Obok dystrybucji wszelkich dóbr żydowski kramarz, wędrując po wsiach i miasteczkach, sprzedawał także książki. Były to często kalendarze, senniki, poradniki, modlitewniki dla swoich współplemieńców, ale nierzadko też arcydzieła wielkiej literatury przemycane przez kilka granic, czasem z narażeniem własnego życia. Przypomnijmy słowa Adama Mickiewicza:

> Stąd, mimo carskich gróźb, na złość
> strażnikom ceł,
> Przemyca na Litwę Żyd tomiki moich dzieł.

Pisze też o żydowskim handlarzu książkami Władysław Syrokomla w wierszu *Księgarz uliczny*:

> ...przyparty do ściany,
> Stoi Żyd siwobrody, okryty w łachmany,
> Oczy krwawe, zamglone, zgrzybiałość na twarzy,
> Pod pachą stara książka. To nestror księgarzy!
> Nie szydźcie z tej postaci! Lat pięćdziesiąt blisko,
> Jak zajął przy tej ścianie swoje stanowisko.
> I przechodniom zalecał bibułę i szmaty,
> Za miedzianą monetę dał złoto oświaty.

Żydzi byli narodem książki. Z produkcji i sprzedaży książek hebrajskich, a od XIX wieku także w jidisz, słynęły nie tylko Amsterdam, Wenecja, Wiedeń, Praga, ale także Lublin, Kraków, Wilno i Warszawa. W wielu krajach Żydzi stali się także wydawcami i dystrybutorami literatury nie tylko żydowskiej, ale i kraju, w którym żyli. Szczególną rolę w tej dziedzinie odegrali Żydzi na ziemiach polskich.

Od najdawniejszych czasów zapotrzebowanie na książkę hebrajską, przede wszystkim wszelkiego rodzaju modlitewniki, Biblię, księgi Talmudu itp. było duże, zważywszy, że do życia religijnego i rytuału synagogalnego były one niezbędne, a wśród Żydów, przynajmniej mężczyzn, nie było analfabetów — odczytywać modlitwy potrafił każdy. Zapotrzebowanie na te książki na ziemiach polskich było zaspokajane z importu, ale także przez miejscowe drukarnie działające już w XVI w. Np. w Krakowie w latach 1530—1531 nieznany drukarz wydał *Pięcioksiąg* i *Hagadę*, a bracia Heliczowie kilka świątecznych modlitewników tzw. *Machzory*. Eliakum Helicz nawet po wychrzczeniu się i przyjęciu imienia Johannes nadal wydawał księgi hebrajskie.

Do najstarszych ośrodków hebrajskiego drukarstwa należał też Lublin. W 1536 roku drukarz Chaim Schwarz wydał z polskim tekstem obok hebrajskiego — *Machzor*. W drugiej połowie XVI w. wydano znaczną ilość książek modlitewnych, *Sydurów* (na dnie powszednie) i *Machzorów*. Wiek XVII i XVIII przyniósł rozwój drukarstwa hebrajskiego także w innych miastach m. in. w Wilnie, Grodnie, Lwowie, a także w wielu małych miasteczkach. Obok najniezbędniejszych modlitewników, wydawane były coraz częściej wielotomowe księgi Talmudu z komentarzami, dzieła kabalistyczne, etyczne itp.

W stosunku do innych miast Warszawa była znacznie zapóźniona. Przyczyną tego był zakaz osiedlania się Żydów w tym mieście. Dlatego też żydowskie drukarnie powstawały w okolicach Warszawy. W 1775 roku Lazar Icchak, zwany Izakowicz z Krotoszyna podjął starania o zezwolenie na założenie drukarni w Warszawie. Po roku otrzymał od Stanisława Augusta przywilej na założenie drukarni w Golędzinowie i wydawanie ksiąg, a następnie kalendarzy hebrajskich. Warto wspomnieć, że książki hebrajskie drukowali również nie-Żydzi, m. in. znani drukarze XVIII w. Piotr Dufour i Johann Anton Krieger. Ten ostatni odkupiwszy w Korcu drukarnie hebrajskie Hirsza Lejbowicza i Szmula Segala — przeniósł je do Nowego Dworu, gdzie założył duży i ważny ośrodek produkcji ksiąg hebrajskich. Przedsiębiorstwo Kriegera prosperowało do 1818 roku. O prężności Kriegera świadczy m. in. fakt, że np. w 1789 roku na jarmarku w Łęcznie, wystawił on na sprzedaż 2 641 ksiąg hebrajskich i 2 000 żydowskich kalendarzy.

W 1814 roku Hersz Nahasanowicz i Joel Lebensohn założyli przy ulicy Żabiej pierwszą w Warszawie żydowską drukarnię. Wkrótce po tym, powstała gisernia czcionek hebrajskich. W poł. XIX w. w Warszawie działały 33 drukarnie z tego 13 hebrajskich, m. in. Hersza Schriftgissera, Hersza Bomberga (obie od 1834 r.), Arona Kleifa, Samuela Zysberga, Abrahama Baumberga.

W Warszawie obok drukarzy i wydawców hebrajskich działały żydowskie firmy wchodzące z ogromnym rozmachem także na polskojęzyczny rynek wydawniczy. Warto wspomnieć, że na terytorium Królestwa Polskiego Żydzi byli właścicielami ok. 40%, a w niektórych miastach np. w Łodzi i Wilnie ok. 60% drukarni.

Powstały nawet rody drukarzy-wydawców Żydów. Do najwybitniejszych należą pionierzy polskiego edytorstwa — Glücksbergowie i Orgelbrandowie.

Pierwsze wiadomości o osiadłej zapewne od dawna na ziemiach polskich rodzinie Glücksbergów pochodzą z poł. XVII w. i dotyczą Emanuela Majera Glücksberga, którego trzech z pięciu synów zajmowało się księgarstwem. Najważniejszą osobistością był Majer Natan, zwany także Michałem lub Mikołajem (1770—1831).

W artykule zamieszczonym w czasopiśmie „Kłosy" w 1868 roku opisującym trudny do niedawna los pisarzy czytamy: „Taki stan księgarskiego ruchu u nas idzie ciągle do roku 1820 niemal, kiedy pojawił się księgarz-nakładca Natan Glücksberg". Natan i jego brat Jan byli pierwszymi na ziemiach polskich wydawcami i księgarzami, inspiratorami, ale także nakładcami finansującymi twórczość autorów polskich, pierwszymi, którzy wprowadzili honoraria autorskie. Do 1831 roku w wydawnictwie Natana Glücksberga ukazało się ponad 220 tytułów. Wydawano także czasopisma, m. in. redagowaną przez Adama Tomasza Chłędowskiego, dyrektora Biblioteki Narodowej „Gazetę Literacką", pismo dla kobiet „Bronisława czyli Pamiętnik Polek" (od 1822 r.), a także „Magazyn Powszechny — Dziennik Użytecznych Wiadomości" (1834 r.), ozdabiany specjalnie sprowadzanymi z zagranicy drzeworytami. Natan Glücksberg był członkiem Loży Wolnomularskiej. Należał do czołówki postępowych Żydów polskich tzw. 26 ojców oświeconych familii, rzeczników asymilacji z „narodem, wśród którego żyją". Z ośmiorga jego dzieci, czterech synów przyjęło zawód ojca. August Emanuel Glücksberg (1804—1881) wydał wraz z bratem Krystianem Teofilem 4-tomową *Encyklopedię Powszechną* i *Historię Polski* Michała Balińskiego, a brat Natana, Jan (1784—1859) pierwszy *Przewodnik po Warszawie* (1827 r.). Jan Glücksberg był wydawcą wielu polskich czasopism. Brał udział w powstaniu listopadowym. Był członkiem Rady Opiekuńczej Szpitala Starozakonnych i sekretarzem Izby Doradczej d/s Żydów w Polsce.

Drugi obok Glücksbergów ród wydawców to Orgelbrandowie. Pierwsze wiadomości o tym rodzie pochodzą z XVIII w. i mówią, że Chaim Juda Orgelbrand ożeniony z Anną Jud trudnił się handlem książką. W 1810 roku urodził im się syn Samuel. W 1837 roku założył on w Warszawie przy ulicy Nowiniarskiej księgarnię i antykwariat, a wkrótce i drukarnię. Początkowo drukował powieści przygodowe i romanse. Na tej działalności dorobił się majątku. W poł. XIX w. jego przedsiębiorstwo zatrudniało 160 pracowników, a drukarnia wyposażona była w najnowocześniejsze na owe czasy urządzenia z własną „lejnią czcionek", „stałodrukarnią" (stereotypownią) itp. W 1858 roku Samuel Orgelbrand rozpoczął gigantyczną, jak na ówczesne polskie warunki, zupełnie pionierską pracę nad wydaniem *Encykopedii Powszechnej*. Zaangażował on do tego przedsięwzięcia najwybitniejszych polskich naukowców i pisarzy. Po dziesięciu latach, mimo ogromnych trudności, głównie finansowych (początkowa liczba 3 tys. subskrybentów spadła do 500), doprowadził dzieło do końca, wydając ostatni — 28 tom. Dzieło to, jedyne zresztą w Polsce, które w XIX w. udało się zrealizować w całości, kosztowało wydawcę ok. 120 tys. rubli, z czego 42 tys. wyniosły honoraria zapewniające wielu polskim uczonym i pisarzom byt. Do 1912 roku ukazały się jeszcze trzy skrócone i poprawione wersje tego dzieła, zwanego potocznie Encyklopedią Orgelbranda. Samuel Orgelbrand wydał ok. 600 tytułów, w tym ok. 100 w języku hebrajskim, m. in. księgi *Miszny* i *Gemary* oraz monumentalne 20-tomowe dzieło *Talmud babiloński*. Po śmierci Samuela w 1868 roku przedsiębiorstwo prowadzili jego synowie — Hipolit i Mieczysław. Pod ich zarządem rozwijało się bardzo dobrze, zatrudniając już ok. 600 pracowników.

W tym samym czasie co Samuel w Warszawie, w Wilnie działał jego brat Maurycy, także, jak i jego sławny brat absolwent Warszawskiej Szkoły Rabinów. Jego zasługą było m. in. wydanie wielkiego *Słownika Polskiego*, zawierającego 108 tys. haseł. W czasie powstania styczniowego została aresztowana i zesłana na Sybir żona Maurycego Eleonora ze Starkmanów. By towarzyszyć żonie Orgelbrand dobrowolnie udał się na zesłanie. Po powrocie w 1873 roku założył w Warszawie spółkę wydawniczą, do której weszły tak znane firmy, jak Gebethner i Wolff oraz Michał Glücksberg.

W XIX w. obok tych dwóch, z pewnością najwybitniejszych rodów w historii polskiego drukarstwa, edytorstwa i księgarstwa działało wiele innych m. in. Merzbachowie, Natansonowie, Salomon Lewental, Gabriel Centnerszwer, Józef Unger.

O Merzbachach wiemy, że w XVIII w. mieszkał w Poznaniu Henryk Merzbach z rodziną. Jego synowie byli znanymi księgarzami — Ludwik (1820—1890), pozostał w Poznaniu a Samuel Henryk (zm. 1874) i Zygmunt (1801—1852) przenieśli się do Warszawy, gdzie otworzyli przy ulicy Miodowej księgarnię nakładczą z czytelnią i wypożyczalnią. Księgarnia ta była swojego rodzaju salonem. Spotykali się tu pisarze, poeci, bibliofile. Samuel brał udział w polskim ruchu patriotycznym. W jego księgarni można było dostać także wydawnictwa zakazane. Własnym nakładem wydawał książki polskie i obce, w tym np. powieści Waltera Scotta. W 1833 roku wydał trzy tomiki poezji Adama Mickiewicza z ilustracjami, a w latach 1857—1858 ośmiotomowy *Wybór pism* — do dziś jedyne ilustrowane wydanie pism wielkiego poety. Katalogi Merzbacha wydawane systematycznie w latach 1831—1874 są świadectwem jego niesłychanie ważnej i wszechstronnej działalności edytorsko-księgarskiej. Bratanek Samuela, syn Zygmunta Merzbacha — Henryk, poeta, literat i publicysta, przez pewien czas prowadził firmę swego stryja aż w 1862 roku wspólnie z Ludwikiem Polakiem założył własną księgarnię i skład nut przy Krakowskim Przedmieściu. Tu spotykali się literaci, muzycy, działacze polityczni. W 1863 roku za opublikowanie antycarskiego pamfletu księgarnia została zamknięta. Zagrożony aresztowaniem H. Merzbach wyjechał do Drezna, a następnie do Brukseli, gdzie kontynuował działalność patriotyczną i księgarsko-wydawniczą. Był uważany za jednego z przywódców polskiej emigracji. Był także nadwornym księgarzem króla Leopolda II. W Belgii wydał m. in. *Ostatnie lata życia J. Lelewela* (1889 r.).

Henryk Natanson (1820—1895) warszawski bankier a równocześnie księgarz i nakładca wywodził się ze starej plutokratycznej rodziny żydowskiej. Jako jeden z siedmiu synów Wolfa Zeliga Natansona, po ukończeniu Warszawskiej Szkoły Rabinów i po praktyce w księgarniach F. A. Brockhausa w Lipsku i J. Zawadzkiego w Wilnie, założył w 1846 roku własną firmę przy Krakowskim Przedmieściu. Obok handlu książkami sprowadzanymi z zagranicy Natanson zajmował się również wydawaniem książek. Własnym sumptem wydał około 170 tytułów z literatury polskiej i obcej, m. in. 3-tomowy pierwszy wybór dzieł J. I. Kraszewskiego z ilustracjami Henryka Pilattiego. Jego wydawnictwa wyróżniały się wysokim poziomem, zarówno merytorycznym, jak i graficznym, a błędy trafiały się rzadko. Kiedyś napisał: „Moje wydanie *Marii* Malczewskiego było bez błędu. Dukata w złocie dawałem za błąd i nikt go nie znalazł!" Nie żałował też pieniędzy na luksusowe, a więc często deficytowe wydawnictwa, a autorom nie skąpił. W 1868 roku z powodu licznych zajęć związanych z prowadzeniem własnych przedsiębiorstw jak Dom Bankowy, Towarzystwo Ubezpieczeń, Towarzystwo Kopalń, Fabryka Papieru „Mirków" a także innych, w których miał udziały, zlikwidował księgarnię, wyprzedając za połowę ceny jej zawartość. Społecznie bardzo aktywny Natanson stał m. in. na czele Wydziału Czytelni Bezpłatnych Warszawskiego Towarzystwa Dobroczynności, był członkiem Komitetu Budowy, a następnie prezesem Wielkiej Synagogi na Tłomackiem.

Syn jego (a może był to wychowywany przezeń bratanek?) Bronisław (1865—1906), prawnik, działacz społeczny, wydawca i nakładca, chciał „wywołać przewrót w zabagnionych i spekulatorskich stosunkach wydawniczych". Nie mogąc z powodu „nieprawomyślności" otrzymać koncesji na prowadzenie wydawnictwa, zawarł spółkę z Janem Fiszerem i stał się jednym z bardziej zasłużonych wydawców polskich. Wsławił się wysokimi, dziesięciokrotnie wyższymi honorariami, jakie płacił autorom, m. in. Wł. Reymontowi, który na zamówienie Natansona zaczął pisać *Chłopów*, St. Żeromskiemu za *Ludzi bezdomnych*, E. Orzeszkowej i wielu innym. W setną rocznicę urodzin Adama Mickiewicza wydał *Księgę pamiątkową*. Wydał również wiele prac z dziedziny filozofii, historii, nauk przyrodniczych, społecznych oraz głośne wówczas prace H. G. Wellsa. W 1900 roku z powodu złego stanu zdrowia Natanson zamknął wydawnictwo i księgarnię. Przez wiele lat popierał materialnie bezpłatne czytelnie, które m. in. zasiliły z czasem zbiory Biblioteki Publicznej przy ulicy Koszykowej.

Oryginalna była kariera wydawcy Józefa Ungera (1817—1874). Był synem niezamożnych rodziców, którzy jednak zadbali o jego wykształcenie. Uczył się w Warszawie, w szkole pijarów i w szkole rabinów. Zawodu drukarza uczył się w założonej przez profesorów Uniwersytetu Warszawskiego drukarni, prowadzonej przez A. Gałęzowskiego. Własną zakupił okazyjnie. Była to mała, podupadła drukarenka, w której przez pewien czas był jedynym pracownikiem. Dzięki jego talentowi i ogromnej energii przedsiębiorstwo rozwijało się znakomicie, stając się jednym z największych w kraju. Jego zakład typograficzny miał własną gisernię, drzeworytnię i introligatornię. U Ungera drukowano dzienniki i czasopisma, m. in. „Dziennik Warszawski", „Izraelitę", „Szkice i obrazki", „Tygodnik Ilustrowany", który Unger firmował jako wydawca, a także „Wędrowca". Jego też zasługą był rozwój drzeworytniczej techniki ilustracyjnej. Należy wspomnieć, iż, z wydawnictwem współpracowali tak znakomici artyści jak: J. Kossak, H. Pilatti i Fr. Kostrzewski. Unger wydał także stokilkadziesiąt tytułów książkowych m. in. dzieła J. I. Kraszewskiego, Deotymy, H. Rzewuskiego, książki o treści religijnej, podręczniki oraz nuty. Dużą popularnością cieszyły się wydawane od 1846 roku ilustrowane *Kalendarze Warszawskie Popularno-Naukowe*. Unger był czynnym człowiekiem — był starszym w Zgromadzeniu Drukarzy Warszawskich, prowadził galerię sztuki współczesnych malarzy polskich, zbierał obrazy malarzy Żydów, m. in. Edmunda Perla i Stanisława Heimana. Po śmierci Józefa Ungera przedsiębiorstwo przejął adoptowany przezeń syn Gracjan.

Popularnym na terenie Warszawy drukarzem i księgarzem był Salomon (później Franciszek Salezy)

Lewental (1841—1902), syn Dawida, nauczyciela, filozofa i literata. Absolwent Warszawskiej Szkoły Rabinów pracę wydawniczą rozpoczął praktyką u przyszłego teścia Jana Glücksberga. Po śmierci teścia przejął przedsiębiorstwo, które z czasem znacznie rozwinął. Do jego najpopularniejszych wydawnictw należał *Kalendarz Ludowy,* osiągający wysoki jak na owe czasy nakład 15 tys. Lewental położył szczególne zasługi w wydawaniu polskich czasopism. U niego ukazywały się „Kłosy", „Tygodnik romansów i powieści", „Świt", a w 1887 roku nabył połowę udziału największego w stolicy dziennika „Kuriera Warszawskiego". W 1873 roku rozpoczął wydawanie wielkiej serii Biblioteki Najcelniejszych Utworów Literatury Europejskiej, w której ukazały się m. in. dzieła T. T. Jeża, J. Korzeniowskiego, J. I. Kraszewskiego, E. Orzeszkowej, M. Bałuckiego, A. Fredry oraz Byrona, Calderona, Goethego, Lermontowa, Staedhala, Homera, Sofoklesa i wielu innych. Ogółem wydał 285 tytułów. Był szanowanym filantropem, przez kilkanaście lat był członkiem Gminy Starozakonnych, jednym z inicjatorów budowy Synagogi na Tłomackiem. W warszawskich szpitalach założył bezpłatne ambulatoria dla ubogich chorych.

Innym popularnym na terenie Warszawy księgarzem był Marian Sztajnsberg (1887—1943 w getcie warszawskim), współwłaściciel wraz ze Stanisławem i Tadeuszem Markusfeldami firmy „Księgarnia Ferdynand Hoesick Sp. z.o.o.". Zasłużył się przede wszystkim jako wydawca literatury prawniczej, m. in. 81 tomów (do 1934 r.) *Hoesicka tekstów ustaw obowiązujących w Rzplitej Polskiej.* Podczas okupacji hitlerowskiej można było Sztajnsberga spotkać na terenie getta, na ulicy Leszno sprzedającego książki.

W kołach muzycznych natomiast znany był Józef Kaufman, właściciel składu i wypożyczalni nut w Warszawie, a także dobrze zaopatrzonej księgarni.

Spośród wielu wydawców, drukarzy i księgarzy Żydów działających w XIX i w początkach XX w. należy jeszcze choć o kilku wspomnieć. Wśród nich znajduje się Gabriel Centnerszwer (1841—1917), syn nauczyciela, absolwent Warszawskiej Szkoły Rabinów. Prowadził on doskonale zaopatrzoną księgarnię przy ulicy Marszałkowskiej. Następnie Herman Altenberg (1848—1885), który wraz z Maurycym Robitschkiem prowadził księgarnię i skład obrazów. Zasłużyli się w wydawaniu reprodukcji dzieł polskich malarzy. Altenberg, po powrocie do Lwowa, skąd pochodził, prowadził księgarnię i wypożyczalnię książek, był też wydawcą Biblioteki Klasyków Polskich i Biblioteki Teatrów Amatorskich. Znaną postacią był także Teodor Paprocki (1857—1895) księgarz i wydawca, który do spółki z Władysławem Dłużniewskim prowadził w Warszawie przy ulicy Chmielnej księgarnię „T. Paprocki i S-ka". Wydawał prace z dziedziny literatury, filozofii, historii, nauk ścisłych, techniki, a także serię beletrystyki — Biblioteka Romansów i Powieści.

Parę słów należy poświęcić drukarzowi i wydawcy krakowskiemu Jakubowi Mendlowi Himmelblauowi i jego następcom. J. M. Himmelblau założył swoją księgarnię w poł. XIX w. Nakładem jego księgarni została m. in. wydana w 1863 roku książka *Wieczory pod lipą* z podtytułem *Historya Narodu Polskiego.* Wydał on także podręcznik Lucjana Tomasza Rycharskiego *Literatura polska w historyczno-krytycznym zarysie.* Jeden z jego synów Fabian kontynuował działalność księgarsko-wydawniczą, jego nakładem ukazało się szereg cennych pozycji m. in. Stanisława Koźmiana *Rzeczy teatralne* (1904), Teofila Lenartowicza (1876) *Wybór poezji,* studium Lucjana Siemieńskiego o Wincentym Polu, a także sporo książek dla młodzieży, m. in. *Robinson Kruzoe* i książki J. F. Coopera.

Jedna z córek J. M. Himmelblaua wyszła za mąż za Henryka Frista, początkowo prowadzącego sklep z przyborami piśmiennymi i ramami do obrazów. Wkrótce stał się on w Krakowie głównym sprzedawcą pocztówek, a wreszcie właścicielem „Salonu Malarzy Polskich", w którym sprzedawał obrazy Kossaków, J. Malczewskiego, J. Fałata, P. Stachiewicza, T. Axentowicza i wielu innych. Frist zakupił u malarzy prawo wyłącznej reprodukcji ich dzieł. W okresie międzywojennym przedsiębiorstwo rozwinęli bracia Henryka — Julian i Józef, obaj doktorzy praw. To właśnie oni założyli zakłady graficzne „Akropol", pracujące nowoczesnymi technikami druku takimi jak: offset, litografia itp. Był to w Polsce międzywojennej jedyny zakład wytwarzający reprodukcje malarskie na najwyższym, światowym poziomie.

Nie byłby pełny obraz udziału Żydów, drukarzy i wydawców krakowskich, gdybyśmy nie wymienili jeszcze Napoleona (Naftalego) Telza (1866—1943) drukarza i nakładcy, a od 1897 roku właściciela krakowskiej Drukarni Narodowej. Drukarnia Narodowa drukując także krakowską prasę codzienną, „Dziennik Poranny", później „Dziennik Krakowski", PPS-wski „Naprzód" i liczne czasopisma specjalizowała się w literaturze pięknej. Wydawano tu dzieła S. Goszczyńskiego, A. Mickiewicza, J. Słowackiego, J. Kasprowicza, Wł. Orkana, L. Rydla, S. Żeromskiego, K. Tetmajera i wielu innych. Wydano tu J. Flawiusza *Dzieje wojny żydowskiej przeciwko Rzymianom,* szereg dzieł literatury społeczno-politycznej, m. in. prace Bolesława Limanowskiego i Stanisława Mendelsona, a także literaturę artystyczną, np. *Dzieje malarstwa w Polsce* Feliksa Kopery, a również pierwsze wydanie *Elementarza* Mariana Falskiego. Do 1935 roku z Drukarni Narodowej wyszło 3118 tytułów. Za swoje wydawnictwa, drukowane z pięknymi ozdobnikami i ilustracjami (m. in. L. Wyczółkowskiego, Wł. Koniecznego) Telz otrzymał wiele nagród i medali w kraju i za granicą. Był przewodniczącym Związku Właścicieli Drukarń w Galicji Zachodniej, Korporacji Przemysłowców Graficznych w Krakowie, działał w Zarządzie Organizacji Związków Graficznych w Warszawie. Podczas drugiej wojny światowej, jako Żyd, Telz zmuszony był do ukrywania się. Zginął w getcie warszawskim. Drukarnia Narodowa działa do dziś.

Oczywiście wyżej wymienieni nie byli w Krakowie jedynymi wydawcami i księgarzami Żydami. Działali tu także m. in. Seidenowie, Taffetowie, Raucherowie, Wertheimowie, Litmanowie i inni, pięknie zapisując swój udział w polskiej kulturze.

Osobno parę słów należy poświęcić wydawcom i księgarzom Żydom z okresu międzywojennego. Kontynuowali oni zazwyczaj dobrą tradycję swoich poprzedników.

Jednym z bardziej popularnych w Warszawie było wydawnictwo i księgarnia Jakuba Mortkowicza (1876—1931). Mortkowicz, przejąwszy w 1912 roku księgarnię Gabriela Centnerszwera, założył wspólnie z Teodorem Toeplitzem firmę „J. Mortkowicz, Towarzystwo Wydawnicze w Warszawie Sp. Akc.". W jego świetnie zaopatrzonej księgarni przy ulicy Mazowieckiej 12, prowadzonej na wzór klubu, zbierała się elita kulturalna i literacka Warszawy. Bywali tu Miriam, Bolesław Leśmian, Janusz Korczak i Stefan Żeromski, Maria Dąbrowska i Maria Kuncewiczowa. Mortkowicz, który swoje wydawnictwa sygnował znakiem kłosa i literami JM, specjalizował się w wydawaniu literatury pięknej. Był wydawcą książek S. Żeromskiego, wielu Marii Dąbrowskiej, Wacława Berenta, Janusza Korczaka, Marii Kuncewiczowej, poezji Skamadrytów (seria *Pod znakiem poetów*), serii pisarzy polskich i obcych, wydawnictw albumowych (m. in. *Dzieje sztuki w Polsce*). Ogółem do 1931 roku wydał około 700 tytułów. Mortkowicz był jednym ze współzałożycieli Domu Książki Polskiej, Księgarni Kolejowych „Ruch", działał w Polskim Towarzystwie Wydawców i Związku Księgarzy. Był odznaczony Krzyżem Ofierskim Orderu Polonia Restituta. Po jego śmierci wydawnictwo i księgarnię prowadziła żona Janina z domu Horowitz (1875—1960).

Innym popularnym w Warszawie, chociaż z mniejszym rozmachem działającym księgarzem i wydawcą był Jakub Przeworski (1875—1935). Jak wspomina znany bibliofil Jan Michalski (1876——1950) — Przeworski „...ożenił się obyczajem żydowskim bardzo młodo i za szczupły posag wynajął na Świętokrzyskiej niewielki sklep, później tak dobrze znany licznym zbieraczom..." Był antykwariuszem z dobrą praktyką odbytą u A. H. Kleinsingera i miał wyczucie wartości książek — nawet tych, co zalegały w magazynach. Nabywał je często za bezcen i gromadził w swoim antykwariacie. Jeszcze przed pierwszą wojną światową przewoził przez kordony graniczne do Lwowa, Krakowa, Poznania wydawnictwa warszawskie i odwrotnie — do Warszawy rzeczy zakazane. W 1933 roku przeniósł księgarnię na ulicę Sienkiewicza 2, rozszerzając swoje przedsiębiorstwo i rozpoczynając działalność wydawniczą. Głównie wydawał tłumaczenia, ale także literaturę polską. Duży rozmach jego działalności przerwała śmierć, ale przedsiębiorstwo poprowadził jego syn, inżynier, absolwent Politechniki Warszawskiej — Marek (1903—1943). W sumie do 1939 roku w wydawnictwie Przeworskiego ukazało się ponad 300 tytułów, w większości bardzo starannie wydanych. Z oficyny tej wyszły m. in. *Dzieje kultury polskiej* pod redakcją A. Brücknera, *Mój Żyrardów* Pawła Hulki-Laskowskiego, poezje i książki dla dzieci J. Tuwima, poezje A. Słonimskiego, K. Wierzyńskiego, M. Hemara, i wielu, wielu innych. W grudniu 1939 roku dobytkiem Przeworskich zawładnął hitlerowski zarządca Paul Kostrzewa. Marek Przeworski przebywał w getcie warszawskim, skąd się wydostał lecz wkrótce zginął zastrzelony przez gestapo.

W getcie warszawskim zginął Michał Fruchtman. Przed wojną podlegał on częstym represjom władz za lewicowe przekonania i kontakty z Komunistyczną Partią Polski, dla której drukował nielegalne broszury. Księgarnię na Świętokrzyskiej prowadził wraz z synem. Rozpocząwszy w 1927 roku działalność edytorską wydawał książki postępowych pisarzy m. in. W. Rogowicza, H. Krahelskiej, A. Sokolicz, jak też E. E. Kischa i K. Radka.

W getcie warszawskim zginął również Henryk Lindenfeld, do 1912 roku wspólnik J. Mortkowicza. Ambicją jego było wydawanie prac naukowych, m. in. wydał *Darwinizm i wiedza współczesna* ze wstępem Ludwika Krzywickiego.

Wielu z nich, to byli prawdziwi ludzie książki, znawcy swego fachu, miłośnicy słowa drukowanego. Książka była dla nich nie tylko przedmiotem handlu, ale także celem życia, nieustającą fascynacją. Warto wspomnieć, że pierwszym a przez wiele lat jedynym księgarzem w Łodzi był Jankiel Gutstadt, który swoją księgarnię prowadził od 1848 roku. Warto też choć wspomnieć o antykwariuszach — zasłużonych zbieraczach i w najlepszym tego słowa znaczeniu handlarzach książką. Przypomnieć też warto, że liczni księgarze żydowscy właśnie od zawodu antykwariusza handlującego starymi książkami rozpoczynali swoją działalność wydawniczą i księgarską.

Do drugiej wojny światowej ulica Świętokrzyska w Warszawie była centrum żydowskiego, antykwarskiego handlu książkami. Antykwarnie żydowskie znajdowały się także na Elektoralnej, Kruczej, Marszałkowskiej, Nalewkach, Gęsiej itp. W soboty większość z nich było zamkniętych, jako, że ich właściciele byli przeważnie chasydami.

Stałymi ich klientami byli wytrawni bibliofile. Tu godzinami szperając w stosach, często bezładnie składowanych książek wygrzebywali czasami bezcenne, białe kruki, o których wielkiej wartości tylko oni wiedzieli.

Najznamienitszym wśród tych antykwariuszów był ród Zalcsteinów, którego protoplasta — Gecel Zalcstein (1773—1841), syn zamożnego kupca norymberszczyzny wbrew woli ojca, nie przejął jego przedsiębiorstwa, ale z zapamiętaniem poświęcił się handlowi książką. Rozpoczął od skupowania starych ksiąg. Nie stać go było na założenie sklepu, stał więc na ulicy Długiej lub Miodowej z koszem pełnym woluminów. Wreszcie, dorobiwszy się trochę, przeniósł handel do swego mieszkania na Mariensztacie. Bez mała pół wieku odwiedzali Gecla wybitni pisarze, uczeni, studenci. Historyk żydowski Henryk Kroszczor pisał: „Dwie duże biblioteki o wielkiej wadze naukowej i wartości narodowej stworzone zostały dzięki fachowej pomocy Zalcsteina. Jedną z nich była później wielce cenna Biblioteka Ordynacji Krasińskich. (...) Celem nabycia zasobów do tej biblioteki, Zalcstein objeżdżał dwory i skupywał rzadkie judaika, inkunabuły, wspaniałe druki z okresu renesansu i reformacji...".

Poważną gałęzią edytorstwa żydowskiego w Polsce była produkcja ksiąg religijnych. Drukiem modlitewników, Biblii, ksiąg Talmudu, *Miszny* i rozpraw teologicznych zajmowały się wyspecjalizowane drukarnie. Druk ten był trudny, skład w zależności od treści był robiony czcionkami o różnym kroju i wielkości. Z małych, rzemieślniczych drukarni wychodziły oryginalne i kunsztowne edycje religijne cieszące się wielkim powodzeniem.

Ważną dziedziną drukarstwa, edytorstwa i księgarstwa żydowskiego była żydowska literatura pisana w języku jidisz. Drukowana była przez dobrze wyposażone drukarnie, a sprzedażą jej zajmowały się wyspecjalizowane księgarnie żydowskie, których np. w Warszawie było ponad dwadzieścia. Edytorstwem, na zasadach subskrypcji zajmowały się organizacje społeczne, polityczne, kulturalne, m. in. szczególnie prężna bundowska Kultur-Liga. Niekiedy do wydania dzieł zbiorowych, któregoś z wybitnych pisarzy żydowskich zawiązywała się spółka, jak to miało miejsce np. przy edycji dzieł Mendełe Mojcher Sforima. Przez czołowe żydowskie dzienniki warszawskie praktykowane było premiowanie stałych prenumeratorów dziełami klasyków literatury żydowskiej.

LITERATURA

U żadnego z narodów słowo literatura nie ma tylu znaczeń co u Żydów. Dotyczy to przede wszystkim języka. Żydzi używali i używają bądź to języka hebrajskiego (iwrit), bądź żydowskiego (jidisz), bądź też języka kraju, w którym żyli lub żyją.

Literatura żydowska osiągnęła szczególny rozkwit na ziemiach polskich, promieniując stąd na inne kraje rozproszenia. Z ziem polskich literatura żydowska rozchodziła się do wielu krajów świata, tu bowiem była kolebka wielu nurtów klasycznej literatury żydowskiej.

Poświęcimy nieco uwagi żydowskiej literaturze świeckiej, dzieląc ją na literaturę pisaną w języku hebrajskim i w jidisz. Poświęcimy też nieco uwagi udziałowi Żydów w literaturze polskiej.

Do końca XVIII w. piśmiennictwo w języku hebrajskim przede wszystkim obejmowało literaturę talmudyczną, zyskując w tej dziedzinie, na ziemiach Europy Wschodniej, przodujące w świecie miejsce. Począwszy od końca XVIII w. w zetknięciu z kulturą Zachodu zaczęła powstawać literatura nowohebrajska. Dzieli się ona na dwie jakby epoki: oświecenia, tzw. Haskali i odrodzenia, tzw. Sifrut hat'chija. Oczywiście, granice czasowe między tymi epokami są umowne, ponieważ już w epoce rozkwitu literatury rabinicznej dało się zauważyć zainteresowanie dla kultury świeckiej i pewne nurty właściwe dla Haskali. Ta zaś, zrodzona w kręgu berlińskiego filozofa Mojżesza Mendelssohna, dzięki kilku uczonym i pisarzom z Polski, przeniknęła na początku XIX w. do Polski, szczególnie do Galicji, na Wołyń i Wileńszczyznę. W tym nurcie na uwagę zasługują tacy pisarze hebrajscy, jak m. in. Mendel Lewin z Satanowa (1750—1823), Józef Perl (1770—1840), Nachman Krochmal (1785——1840), Salomon Jehuda Rapaport (1790—1878), Icchak Erter (1794—1851), autor barwnych, satyrycznych opisów życia Żydów w Galicji i Meir Halewi Letteris, uczeń Krochmala, poeta i tłumacz m. in. dzieł Schillera, Byrona, Racina oraz Samuel Lejb Goldenberg z Tarnopola, założyciel czasopisma „Keren Chemed" (Uroczy róg), które ukazywało się w latach 1833—1843.

Podobnie jak w zaborze austriackim, także w zaborze rosyjskim rozwijała się literatura hebrajska oraz idący z nią w parze ruch oświeceniowy, przede wszystkim zmierzający do oświaty mas ludowych. Wybitną rolę w tym ruchu odegrał Izaak Ber Lewinson (1788—1860). Pisywał on traktaty filozoficzne, wiersze, satyry, a także polemiki obalające insynuacje przeciwko Żydom i ich wierze (m. in. wykazywał bezsens pomówień o mordy rytualne). Na ten wczesny okres Haskali przypadła działalność Mordechaja Arona Ginzburga (1796—1847), popularyzatora wiedzy, autora prac m. in. o odkryciu Ameryki, historii Rosji a także opisów podróży, bajek, fabularyzowanych listów. Za czołowego przedstawiciela oświecenia uważa się Abrahama Bera Lebensohna (1794—1879), lektora języka hebrajskiego i aramejskiego, w Wileńskiej Szkole Rabinów. Pisywał on traktaty biblijne, ale dał się poznać przede wszystkim z dramatów wymierzonych przeciwko ortodoksyjnym fanatykom.

Spośród młodszej generacji przedstawicieli żydowskiego oświecenia należy wyliczyć: Jehoszuę Heszela Schorra (1812—1892), zwanego „galicyjskim Wolterem", Fabiusza Miesesa (1834—1893), autora przekładów z literatury łacińskiej (Sire Romi), Natana Samuelya (1846—1921), poetę, autora opowiadań o życiu Żydów galicyjskich. W tym czasie działała też grupa popularyzatorów nauki na czele z Chaimem Zeligiem Słonimskim (1810—1904), autorem rozpraw, m. in. *Mosde chochma* (Zasady nauki), *Kochba deszabit* (Kometa), *Toldat haszamaim* (Dzieje nieba).

Z Wilna wywodziło się wielu pisarzy hebrajskich, m. in. Michał Josef Lebensohn (1828—1852), autor poematów biblijnych, których bohaterami są król Salomon, Samson, umierający Mojżesz. Życie króla Dawida opisał znakomity poeta Jehuda Lejb Gordon (1830—1892). Na jego twórczość wywarł wpływ Abraham Mapu (1808—1866), pisarz hebrajski z Kowna. Duże znaczenie dla rozwoju literatury hebrajskiej miał założony przez pisarza i publicystę Pereca Smoleńskina (1842—1885) miesięcznik „Haszachar" (Poranek, 1868—1885), uważany za centralny organ literatury hebrajskiej. Na jego łamach zamieszczał m. in. swoje utwory prekursor noweli hebrajskiej Mordechaj Dawid Brandstädter (1844—1926), autor pełnych komizmu humoresek o małomiasteczkowych środowiskach żydowskich. Jednym ze współpracowników „Haszacharu" był J. L. Gordon. Innym literackim organem hebrajskim był „Haboker or" (Poranna zorza), wydawany przez poetę Abrahama Bera Gotlobera (1811—1899).

W ostatnich latach XIX stulecia niektórzy pisarze hebrajscy sympatyzowali z ideami socjalizmu. Należeli do nich Izaak Kaminer (1834—1901), Jehuda Lejb Lewin (1845—1926), Ben Nec (właściwie Bencyjon Nowachowicz, 1856—1931). Prace swoje publikowali w socjalistycznym czasopiśmie hebrajskim „Haemet" (Prawda) wydawanym w Wiedniu. Zwolenników miał również ruch narodowo-konserwatywny, którego głównymi reprezentantami byli Jechiel Michał Pines (1844—1913) i Zeew Jaawec (1847—1924), autor m. in. *Wielkiej Historii Żydów* (do 1936 r. wyszło 9 tomów).

Na przełomie stuleci pojawił się nurt zwany odrodzeniem. Z nurtem tym związani byli utalentowani pisarze i poeci i jak Nachum Sokołów (1860—1936), tłumacze. M. in. z języka polskiego przełożył on pracę Al. Kraushara *Frank i frankiści*. Abraham Szloma Frydberg (1893—1902), jeden z przywódców ruchu syjonistycznego, a przede wszystkim Dawid Fryszman (1860—1922), redaktor czasopism hebrajskich, pisarz i publicysta, poeta, tłumacz, który przyswoił literaturze hebrajskiej arcydzieła Szekspira, Goethego, Byrona, Ibsena, Nietschego, Tagore'a. Fryszman miał krytyczny stosunek do Haskali i uważa się, że on pchnął literaturę hebrajską na nowoczesne tory. Również w języku hebrajskim rozpoczynali twórczość dwaj najwybitniejsi pisarze żydowscy Icchak Lejb Perec i Szalom Jakow Abramowicz, później piszący w jidisz jako Mendele Mojcher Sforim.

Na pocz. XX w. pojawiła się spora grupa literatów piszących po hebrajsku. Do najwybitniejszych należeli: Chaim Nachman Bialik (1873—1934), Icchak Kacenelson (1886—1944), Jezajasz Berszadski (1870—1908), Hilel Cejtlin (1871—1942), Uri Cwi Gniesin (1880—1913), Michał Josef Berdyczewski (1865—1921). Najsłabiej w tej grupie reprezentowana była powieść i nowela — rodzaje uprawiane raczej sporadycznie. Jedynie Józef Opatoszu (właść. Opatowski, 1887—1954), który pisywał głównie po żydowsku, był wyjątkiem. Wydał on znakomitą powieść w języku hebrajskim — *Be-jaarot Polin* — (W lasach polskich). Była ona przetłumaczona na język żydowski i polski. Przed wojną powieść ta została sfilmowana w Warszawie. Opatoszu napisał też powieść *Rok 1863* z podtytułem *Żydzi walczą o niepodległość Polski*, przetłumaczoną na język polski.

Jednym z najwybitniejszych przedstawicieli literatury w języku hebrajskim w okresie międzywojennym był Matias (Mateusz) Polakiewicz (1893—1937), piszący pod pseudonimem Matatiahu Szohan. W swoich lirykach orientalnych pisanych rymem, białym wierszem lub prozą poruszał problemy filozoficzne i moralne. Był też prekursorem hebrajskiego dramatopisarstwa. Jego dramaty, pisane w patetycznym, archaizowanym stylu, jak *Jericho, Balaam, Cor we Jeruszalaim* (Tyr i Jerozolima), *Elohej Barzel...* (Bogów z żelaza tworzyć nie będziecie) — mimo biblijnej tematyki zawierały wiele aluzji do współczesności. Był poza tym lektorem literatury nowohebrajskiej w Instytucie Nauk Judaistycznych w Warszawie, prezesem Związku Literatów Hebrajskich i Hebrajskiego Pen Klubu w Warszawie. Oprócz literatury pięknej, w języku hebrajskim powstawało wiele prac naukowych, jak na przykład E. N. Frenka *Mieszczanie i Żydzi w Polsce* (Haironim we hajehudim be Polin), *Żydzi polscy w czasach wojen napoleońskich* (Jehudej Polin bi-jemej milchemet Napoleon) oraz źródłowa rozprawa *Do dziejów Żydów w Księstwie Warszawskim* (Letoldot ha Jehudim ba-nesichut Warsza). Cenionym autorem rozpraw o Żydach polskich był Majer Bałaban.

Nie byłby pełny obraz literatury hebrajskiej, gdybyśmy nie wspomnieli o hebrajskich przekładach z literatury polskiej. Pierwszy polski poeta, który był tłumaczony na hebrajski — to Adam Mickiewicz. Już w 1842 roku 12-letni zaledwie Juda, w przyszłości Julian Klaczko, przetłumaczył *Farysa* a nieco później *Powrót taty. Farys* miał jeszcze kilku tłumaczy, m. in. M. Z. Lebensona, Ch. J. Borensztajna i J. Lichtenbauma. Kilka wierszy, w tym *Świteziankę* przetłumaczył Aron Cejtlin. W 1881 roku Mojżesz Jechiel Ascorielli znakomicie przełożył *Księgi narodu polskiego i pielgrzymstwa polskiego,* do którego wstęp napisał przyjaciel Mickiewicza A. Lèvy. Wspomniany Lichtenbaum przetłumaczył trzy księgi *Pana Tadeusza.* Tłumaczył on także wiersze J. Słowackiego i M. Konopnickiej; *Irydiona* Z. Krasińskiego przetłumaczył Ch. Sz. Ben-Abraham; *Klątwę* St. Wyspiańskiego — A. Cejtlin; *Trylogię* H. Sienkiewicza — E. N. Frenk i A. Lewinson. Liczne nowele, m. in. zebrane w *Antologii noweli polskiej* przetłumaczył Jehuda Warszawiak. Znalazły się tu m. in. opowiadania E. Orzeszkowej, M. Konopnickiej, B. Prusa, Wł. Reymonta, H. Sienkiewicza, St. Żeromskiego. Przetłumaczono także *Moje pierwsze boje* Józefa Piłsudskiego i Wacława Sieroszewskiego *Marszałek Józef Piłsudski.* Z ogromnym zainteresowaniem przyjęto hebrajski przekład *Chłopów* Wł. Reymonta. Dokonał go Ch. Sz. Ben-Abraham, a wydało w Tel Avivie wydawnictwo A. J. Sztybla, Żyda z Polski, ze szczególnym zaangażowaniem lansującego literaturę polską w hebrajskim przekładzie. Dzięki niemu wydano też po hebrajsku *Quo Vadis* i *W pustyni i w puszczy* H. Sienkiewicza. Tłumaczami literatury polskiej wydawanej za granicą, przede wszystkim w Palestynie, a po wojnie w Izraelu, byli i są Żydzi pochodzący z Polski. Wśród poetów polskich, których wiersze tłumaczono na hebrajski, znaleźć można takie nazwiska jak Jan Kochanowski, Leopold Staff, Bolesław Leśmian, Jarosław Iwaszkiewicz, Julian Tuwim, Kazimierz Wierzyński, Józef Wittlin, Antoni Słonimski i wielu innych. Tłumaczono także niektóre dramaty, m. in. Jerzego Żuławskiego *Koniec Mesjasza,* Zofii Nałkowskiej *Dzień jego powrotu.* Sztuki te były grane przez hebrajski teatr „Habima".

Literatura w języku hebrajskim miała słabą siłę oddziaływania. Masy społeczeństwa żydowskiego znały ten język słabo, raczej dla potrzeb religijnych. Był to język żydowskiej elity intelektualnej. Toteż liczni pisarze w ostatnim ćwierćwieczu XIX stulecia zaczęli pisać w języku jidisz. Przykładem tej przemiany są właśnie wspomniani wyżej I. L. Perec i L. J. Abramowicz, którzy właśnie jako piszący w jidisz przeszli do historii literatury, a dzięki wielu przekładom — nie tylko do żydowskiej. Dzięki nim zaczął wykształcać się nowoczesny język jidisz.

Tak więc pod koniec XIX w. rozpoczęła się era literatury w języku żydowskim — okres jej rozkwitu. Pisarze żydowscy wykorzystali szansę, jaką dało im pisarstwo w języku powszechnie rozumianym. Stali się bliscy i lubiani, popularni i sławni, wielu z nich rzeczywiście zasłużyło na miano wielkich. Dzięki nim Polska, która od wieków była kolebką wielkich żydowskich ruchów umysłowych, stała się także kolebką literatury w języku żydowskim. Niektórzy pisarze żydowscy, nawet wyemigrowawszy z Polski, np. do Stanów Zjednoczonych jak Szalom Asz, Abraham Rajzen, Józef Opatoszu i inni — nie przestawali być pisarzami z kręgu żydowstwa polskiego, tak w tematyce, jak i kolorycie swoich dzieł. Do czołowych pisarzy żydowskich, klasyków literatury zaliczyć należy Mendele Mojchera Sforima (Sz. J. Abramowicz, 1836—1917), Icchaka Lejba Pereca (1851—1915), Szaloma Alejchema (Sz. P. Rabinowicz, 1859—1916) i Szaloma Asza (1880—1957).

Najwybitniejszym wśród nich był niewątpliwie I. L. Perec. Urodzony w Zamościu, był potomkiem sprowadzonej przez Jana Zamoyskiego w końcu XVI w. rodziny sefardyjskiej. Był samoukiem, który doszedł do głębokiej wiedzy z dziedziny historii, filozofii, prawa, socjologii, nauk przyrodniczych. Znał kilka języków. W 1876 roku uzyskał koncesję na założenie w Zamościu kancelarii adwokackiej. Był doradcą prawnym Ordynacji Zamoyskich. Był obrońcą prawnym ludzi prześladowanych przez carat. Pobyt w Zamościu wywarł silny wpływ na osobowość Pereca. Wrażliwy na piękno przyrody, rozmiłowany w legendach żydowskich i polskich, obyczajach miejscowych, przejęty smutnym życiem małomiasteczkowej biedoty — stał się Perec pisarzem głęboko związanym ze środowiskiem i stronami, z których pochodził. Bogata jego twórczość obejmuje poezję, prozę i publicystykę. Romantyczna fantastyka łączy się u niego z realistyczną obserwacją życia. Zaczął pisać po hebrajsku, przeważnie wiersze nie pozbawione akcentów społecznych, np. *Bait szomen* (Opustoszały dom), *Haecel* (Leń), *Hair hakatan* (Miasteczko), *Li omrim* (Mówią mi). Pisywał także po polsku, w rękopisie pozostał zbiór zatytułowany *Wiersze różnej treści*.

Ogromny talent Pereca ujawnił się w jego pierwszych utworach pisanych po żydowsku, m. in. *Zamoszczer porzondkes* (Porządki zamojskie), będący satyrą na miejski kahał, czy w poemacie *Monisz* mówiącym o miłości żydowskiego chłopca do pięknej chrześcijańskiej dziewczyny. Poemat ten rozpoczyna nurt romantycznej poezji żydowskiej. Liczne wiersze Pereca mają wyraźny akcent społeczny.

W 1888 roku Perec przeniósł się do Warszawy, skąd odbywał częste podróże do miasteczek w powiecie Tomaszów Mazowiecki. Owocem tych podróży był cykl opowiadań zebrany w tomie *Bilder fun a prowinc rajze*, 1891 (Obrazy z podróży po prowincji). Akcja większości z nich m. in. *Inem postwagen* (W dyliżansie), *Meszulech* (Posłaniec), *Szołem bajs* (Idylla), *Emes un szeker* (Prawda i kłamstwo), *Bończe szwajg* (Bończe milczek), *Di frume kac* (Bogobojna kotka) rozgrywa się w małych, biednych miasteczkach. Opowiadania Pereca zwracają uwagę pięknym językiem oraz ciepłym, choć sarkastycznym humorem.

Kierunek neoromantyczny w żydowskiej literaturze zainicjował Perec dwoma cyklami beletrystycznymi, będącymi szczytowymi osiągnięciami jego pisarstwa. *Chasydysz* (Motywy chasydzkie) i *Folksstymliche geszichten* (Opowiadania ludowe) wydane w latach 1889—1904.

Perec był także wybitnym dramaturgiem, piszącym pod wpływem Ibsena i Wyspiańskiego. Do najbardziej znanych jego dramatów należą: *Di gołdene kejt* (Złoty łańcuch), *In polisz ojf der kejt* (Na łańcuchu w przedsionku bóżnicy), *Bajnacht ojfn ałtn mark* (Nocą na starym rynku) oraz komedia *Amoł iz gewen a mejłach* (Był sobie król).

Utwory Pereca drukowane były w wielu językach europejskich, nawet w esperanto. W Polsce były drukowane we wszystkich niemal czasopismach żydowskich i polskojęzycznych, a także miały wiele wydań zbiorowych. Pierwszy zbiór jego nowel w języku polskim ukazał się w 1898 roku, następny w 1925. W 1958 roku w serii Biblioteka Narodowa ukazał się *Wybór opowiadań*. Zmarł i pochowany został w Warszawie, w jego pogrzebie wzięło udział ponad sto tys. osób, w tym wybitni przedstawiciele polskiej literatury.

Pominiemy wspomnianego wyżej, wybitnego zresztą klasyka literatury żydowskiej — Mendele Mojcher Sforima (Sz. J. Rabinowicz), ponieważ jego twórczość, po przeniesieniu się pisarza do Odessy, miała tylko luźne związki tematyczne z Polską. Był jednak w Polsce bardzo popularny. Wydawano jego dzieła, a niektóre z nich były tłumaczone na język polski, m. in. *Don Kichot żydowski* (przekład K. J. Szaniawskiego, 1869), *Szkapa* (1886).

Podobnie mogłoby się zdawać, że i Szaloma Alejchema nie należy zaliczać do polskiego kręgu żydowskiej literatury. Ale ten wielki pisarz, stawiany obok Gogola, Dickensa, Twaina, przyjaciel Gorkiego, wielki humanista, największy, jak mawiano, żydowski humorysta i zarazem tragik, w twórczości swojej dał urzekający, pełen cierpienia i nadziei obraz żydowskiego miasteczka końca XIX w. Żydzi polscy uważali go za swego pisarza. Z Polską był związany licznymi więzami, bywał w Warszawie i Łodzi, w Wilnie i Baranowiczach, gdzie złożony ciężką, nieuleczalną chorobą, umierał otoczony sympatią miejscowej ludności — Żydów i Polaków. Należał obok Pereca do najpoczytniejszych pisarzy żydowskich. W Polsce kilkakrotnie wydano wszystkie jego dzieła, wiele tłumaczono na język polski. W 1904 roku wydano, w przekładzie Jerzego Ora, jego *Menachem Mendel*, w 1923 roku *Notatki komiwojażera*, wznowione w 1958 roku z przedmową Jarosława Iwaszkiewicza. Po polsku wydano też: *Stempeniu*, zbiór humoresek *Zaczarowany krawiec*, *Motel, syn kantora*, *Dzieje Tewje mleczarza* i *Marienbad*. Szolem Alejchem (ten pseudonim oznacza ,,Pokój z Wami") jest autorem dramatu *Cużejt un cuszprejt* (Rozsiani po świecie). Ostatnim jego dziełem była autobiograficzna opowieść *Wracając z jarmarku* (z jarmarku własnego życia), w której gryząca ironia przeplata się ze smutną rzeczywistością.

Z kręgu Pereca i będąc jakby kontynuatorem jego stylu, wywodzi się Szalom Asz. I on także, nierzadko z epickim rozmachem opisywał życie współrodaków na tle różnych historycznych sytuacji. Jego pisarstwo, nasiąknięte wiarą w człowieka i pełne optymizmu oraz głębokiej znajomości środowiska żydowskiego, przesiąknięte jest miłością do ludzi. To jego głębokie, ludzkie więzi z umęczonym narodem dają się odczuć w pisarstwie ostatnich lat jego życia, podczas drugiej wojny światowej, którą spędził w Ameryce, gdzie mieszkał od kilkudziesięciu lat. Pisał niekiedy z jaskrawym realizmem, ale nie brak w jego dziełach także romantyzmu i mistycyzmu. Zresztą Asz, chociaż wywodził się z ideowego i stylistycznego kręgu swoich poprzedników, jest już pisarzem nowoczesnym. Na jego twórczość, początkowo w języku polskim, chociaż były to opowiadania o tematyce biblijnej, wywarli wpływ czołowi pisarze polscy. Osobiście przyjaźnił się ze Stanisławem Witkiewiczem i Stefanem Żeromskim, korespondował z Władysławem Orkanem, Elizą Orzeszkową, Bolesławem Prusem.

Pierwsza jego znacząca książka *Miasteczko*, napisana w 1904 roku, zdobyła dużą popularność. W polskim przekładzie ukazała się w 1910 roku. Również znakomicie został przyjęty jego tom nowel (1906 r.), dedykowany St. Witkiewiczowi. W 1914 roku wyjechał do Stanów Zjednoczonych. Napisał tam powieść *Onkel Mozes i Ameryka* — o żydowskich emigrantach. Liczne jego powieści i opowiadania są mocno osadzone w tle społecznym i historycznym, np. *Di muter* (Matka, wyd. polskie 1933), *Motke ganew* (Motke złodziej), trylogia *Farn mabł* (Przed potopem, 1929—1930, wydanie polskie 1930-31). Po drugiej wojnie światowej napisał elegię poświęconą wymordowanym Żydom polskim *Marsz triumfalny* (w języku polskim drukowany w miesięczniku ,,Odra" 1958 r.). Asz jest także autorem kilku dramatów. Tragedia *Got fun nekume*, 1907 r. (Bóg zemsty), była grana w wielu językach i na wielu scenach świata. Do znanych jego dramatów należy *Sabataj Cwi* o fałszywym mesjaszu i *Związek słabych*. Jego twórczość sceniczna przyczyniła się do rozwoju teatru żydowskiego.

Rówieśnikiem Asza był Hirsz Dawid Nomberg (1876—1927). Światem jego bohaterów, chociaż tworzył pod silnym wpływem Pereca, były nie tylko dawne, ale i jemu współczesne środowiska żydowskie. Właśnie za radą Pereca Nomberg zaniechał pisania w języku hebrajskim, przechodząc na jidisz.

Początkowo swoje prace drukował w czasopismach Warszawy, Wilna i Krakowa. Był powieściopisarzem, nowelistą, eseistą, publicystą. Jego pierwsze utwory krytycznie pokazywały dawny, tradycyjny świat żydowski. Choć był zafascynowany postępem, nauką, młodą inteligencją, bliscy mu byli ludzie biedni, osamotnieni, zagubieni i oni to przeważnie byli bohaterami jego powieści. Do najpopularniejszych utworów Nomberga należą: *Der fligelman* (Niebieski ptak), *Di kursistke* (Kursantka), *A szpil in libe* (Gra w miłość), *In pojliszer jesziwo* (W polskim jeszybocie). Pisał także opowiadania z życia dzieci. Wysoko ceniono jego przekłady na język żydowski Szekspira, Hauptmanna, Tagore'a. Jego utwory, rozproszone w czasopismach, także polskojęzycznych, ukazały się kilkakrotnie w dziełach wybranych. Dramat Nomberga *Di miszpoche* (Rodzina), w którym ukazał demoralizację starej chasydzkiej rodziny, był grany w wielu żydowskich teatrach a autor był wysoko ceniony przez polskie środowisko literackie. Na jego pogrzebie obecna była delegacja Związku Literatów Polskich z Leopoldem Staffem, Janem Lechoniem i Ferdynandem Goetlem.

W okresie międzywojennym pojawiło się w Polsce nowe pokolenie pisarzy żydowskich.

Jehoszua Perle (1888—1943). Jego powieść *Jidn fun a ganc jor* (Żydzi całego roku) daje obraz życia Żydów w małych miasteczkach za bez mała pół wieku. Za tę powieść autor otrzymał nagrodę ufundowaną przez socjalistyczny Bund oraz nagrodę im. I. L. Pereca. Zwyczajnemu człowiekowi poświęcił większość swojego pisarstwa Izaak Meir Weissenberg (1881—1938), z tym tylko, że jego obraz życia Żydów w małym miasteczku jest mniej sielankowy, bardziej drastycznie opisuje on marazm i nędzę ich życia. Szymon Horończyk (1889—1939) w powieści *In gerojsz fun maszynen* (W zgiełku maszyn) poświęca dużo uwagi życiu robotników, wnikając w intymne życie swoich bohaterów. Natomiast pisarstwo Efraima Kaganowskiego (1893—1958) jest przepojone pogodą, mądrością i dowcipem. Nie bez powodu porównuje się go do Maupassanta i Czechowa. Głęboko psychologiczna jest twórczość Zusmana Segałowicza (1884—1949). W jego prozie i poezji dominują odwieczne ludzkie problemy — miłość i nienawiść, wierność i zdrada. Mistrzem nowelistyki był Izrael Jehoszua Zynger (1893—1944), autor znanych w swoim czasie powieści *Josie Kałb* — satyry na życie chasydów i *Brider Aszkenazy* (Bracia Aszkenazy), będącej sagą łódzkiej finansjery. Obie te powieści w inscenizacji Morrisa Szwarca były grane w teatrach żydowskich. W powieściach Józefa Opatoszu sporo miejsca zajmuje udział Żydów w walkach o niepodległość Polski, szczególnie ich udział w powstaniu styczniowym. W okresie międzywojennym działało w Polsce wielu pisarzy żydowskich. Niektórzy z nich wyemigrowali przed wojną, niektórych w świat rzuciła zawierucha wojenna. Większość z tych, co przeżyli wojnę, trwało i trwa nadal w klimacie i kręgu swojej młodości, w tradycji najlepszych wzorów klasyki literatury żydowskiej. Przykładem jest np. Izaak Bashewis Singer, laureat Nagrody Nobla, urodzony w Radzyminie pod Warszawą.

W Polsce działała liczna grupa poetów żydowskich. Icyk Manger (1901—1969), autor oryginalnego rodzaju ludowej ballady uważany był za najwybitniejszego żydowskiego poetę okresu dwudziestolecia. Spośród tej grupy należy jeszcze wymienić Mejłacha Rawicza (1893), także znanego prozaika, Kałmana Lisa, autora poematu o akcentach społecznych *Dos lid fun Peter Batrak* (Pieśń Petera Batraka), świetnych wierszy dla dzieci oraz przekładów z Puszkina.

O ile specyficzna, hebrajska i żydowska literatura na ziemiach polskich na ogół pozostawała poza kręgiem polskiej kultury narodowej — o tyle znaczna liczba Żydów lub Polaków żydowskiego pochodzenia miała swój bezsporny udział w polskiej literaturze. W kręgu literatury polskiej znalazła się spora liczba Żydów całkowicie spolonizowanych, których Żydzi często nazywali „asymilatorami", a którzy ze szczerego impulsu, czasem nawet kosztem zmiany religii, weszli do społeczności i polskiej kultury narodowej. Jednym z pierwszych był świetny stylista Julian Klaczko (1825—1906), w młodości autor wierszy hebrajskich, później znakomity krytyk literacki, autor prac o Zygmuncie Krasińskim, Adamie Mickiewiczu oraz wielu szkiców i rozpraw literackich.

W połowie XIX w. w Warszawie powstało kółko zasymilowanej młodzieży żydowskiej, z którego wyszedł m. in.: Aleksander Kraushar (1842—1931), uczestnik powstania styczniowego, historyk, autor dwutomowej *Historii Żydów w Polsce,* monografii *Syn pułkownika Berka* oraz pracy źródłowej *Dyplomatariusz,* dotyczącej Żydów w dawnej Polsce; Michał Mutermilch, autor *Zarysu dziejów sztuki* oraz m. in. pracy o Wacławie Sieroszewskim; Alfred Nossig (1864—1942), poeta, autor libretta do opery Ignacego Paderewskiego *Manru,* dramatów *Tragedia myśli, Król Syjonu, Wygnanie Żydów;* Michał Bałucki, autor do dziś granych komedii, m. in. *Grube ryby, Radcy pana radcy, Dom otwarty* i wielu, wielu innych.

W okresie Młodej Polski uznanie zyskał Wilhelm Feldman (1868—1919), przyjaciel Adama Asnyka, Stanisława Przybyszewskiego i Stanisława Wyspiańskiego. Był cenionym historykiem literatury, autorem monumentalnej pracy *Współczesna literatura polska,* która do wybuchu drugiej wojny światowej miała osiem wydań, a także studiów o Żeromskim i Wyspiańskim; Antoni Lange (1861—1930), tłumacz, który przyswoił literaturze polskiej arcydzieła literatury hebrajskiej, arabskiej i perskiej. Z tego pokolenia należy jeszcze wymienić nazwiska Zygmunta Bromberga-Bytowskiego (1866—1923), Leopolda Kampfa (1880—1912), Arnolda Szyfmana (1882—1967), założyciela Teatru Polskiego w Warszawie, ale także autora kilku komedii, m. in. *Pankracy August I, Fifi,* Andrzeja Baumfelda (pseudonim Andrzej Boleski), Józefa Kwiatka, socjalistę i działacza społecznego, autora rozpraw literackich, m. in. *Pisma Słowackiego treści ideowo-politycznej* i wielu innych, wśród nich tak nieprzeciętnych pisarzy i krytyków literackich, jak Juliusz Kleiner i Ostap Ortwin.

Pięknie zapisały się w poezji polskiej okresu międzywojennego nazwiska Juliana Tuwima, Bolesława Leśmiana, Antoniego Słonimskiego, Józefa Wittlina, Adama Ważyka, Mieczysława Jastruna, Mieczysława Brauna, Włodzimierza Słobodnika, Aleksandra Wata, Leopolda Lewina, Anatola Sterna i wielu innych, w tym i twórców pracujących dla lekkiej muzy jak Andrzej Włast, Marian Hemar (Hescheles), Artur Tur, Emanuel Szlechter, Jerzy Jurandot, Stefania Grodzieńska i wielu innych.

W prozie polskiej pozostały nazwiska Janusza Korczaka, Bruno Schultza, Bruno Winawera, Kazimierza Brandysa, Stanisława Wygodzkiego, Bruno Jasieńskiego, Juliana Stryjkowskiego, Adolfa Rudnickiego, Benedykta Hertza, Michała i Romana Brandstatterów, Tadeusza Peipera, Romana Karsta, Ireny Krzywickiej, Haliny Górskiej, Krystyny Żywulskiej, Jerzego Lutowskiego, Leo Belmonta (Leopolda Blumenthala) i wielu innych.

Żydzi polscy to zarówno ci, co znaleźli się w kręgu literatury polskiej, jak i ci, co pisali na ziemiach polskich w języku hebrajskim i żydowskim, wszyscy czynili to z głębokiej potrzeby wewnętrznej i szczerego przekonania, że ich twórczość służy narodowi, z którym od wieków byli i są związani i któremu pragną dać to, co jest i było treścią ich życia.

TEATR

Dziejopis teatru B. Gorin zaopatrzył dwutomową *Historię teatru żydowskiego* w podtytuł: *Dwa tysiące lat teatru u Żydów.* Wokół tej tezy trwa niewygasły, choć mocno już wyliniały spór, aczkolwiek nie można powiedzieć, by nie tkwiły w niej ziarenka prawdy.

Faktem jest bowiem, że Herold Wielki, król Judei nie tylko rozbudował świątynię jerozolimską, ale za jego sprawą zbudowano w tym mieście teatry, w których wystawiano greckie dramaty. Własnych sztuk teatralnych nie było bowiem w Judei, a pobożni Judejczycy patrzyli ze zgrozą i zgorszeniem na obce ich światopoglądowi przybytki Melpomeny.

Przyczyną braku utworów dramatycznych w żydowskiej literaturze dawnej jest zakaz, sformułowany w prawie mojżeszowym: „Nie czyń sobie obrazu rytego, ani żadnego podobieństwa rzeczy tych, które są na niebie wzgórę, i które na ziemi nisko, i które są w wodach pod ziemią" (Exodus 20,4). Rygorystycznie stosowana interpretacja tego religijnego zakazu objęła również aktorską sztukę naśladowania innych ludzi.

Na przełomie V i VI stulecia, kiedy zamilkł całkowicie teatr wywodzący się z kultury klasycznej, w rozsianych już na dużych połaciach Europy skupiskach żydowskiej diaspory powstał quasi-teatr. Teatr święta Purim, jedynego święta obchodzonego radośnie, bez postu.

Purimszpile — widowiska i zabawy z okazji święta Purim przetrwały długie wieki w Polsce. Ich tkanką dramatyczną była legenda zawarta w biblijnej księdze Estery, opowiadająca o Ahaswerze, władcy „który królował od Indii do murzyńskiej ziemi, nad stu dwudziestoma siedmioma krainami", o jego ponurym i złym namiestniku Hamanie, pięknej Hadasie — Esterze i roztropnym jej krewniaku Mordechaju. Złowieszcza intryga Hamana, „który wytracić chciał wszystkich Żydów", obróciła się przeciw niemu. Haman zawisł na szubienicy, na której powiesić zamierzał Mordechaja.

Fragmenty tej opowieści ubrane w szaty rymowanych tekstów, często frywolnych, recytowane lub śpiewane były przez maskaradowo przebraną młodzież rzemieślniczą lub uczniów szkół rabinackich na placu (szulhofie) przed bóżnicą. Teksty przeważnie bardzo prymitywne, sentymentalnie ckliwe lub wulgarnie rubaszne podawane były niegdyś w języku hebrajsko-aramejskim, potem już wyłącznie w języku używanym przez lud, a więc jidisz lub ladino.

Z tego źródła czerpała powstająca w średniowieczu literatura przystosowana do święta Purim, sięgająca często również do innych legend biblijnych, np. o Józefie sprzedanym Izmaelitom, o Józefie i Putyfarze, o Dawidzie i Goliacie. Ta osobliwa literatura przetrwała do poł. XIX stulecia. Pojawił się też szczególny gatunek na pół zawodowego aktorstwa. Odnaleźć w nim można elementy teatru jarmarcznej budy. Aktorów tych przedstawień nazywano purimszpilerami. Epigonami purimszpilerów byli śpiewacy brodzcy.

Aby mógł powstać prawdziwy teatr żydowski, trzeba było czegoś więcej aniżeli powtarzającej się każdego roku okazji purimowego święta z jego biblijną tematyką czy pieśni i ballad śpiewaków brodzkich. Potrzebna była rewolucja kulturalna. Musiało więc stopniowo dojrzeć i utrwalić się w społeczności żydowskiej przeświadczenie, że świat duchowy Żyda nie powinien być zamknięty opłotkami reguł i rygorów Talmudu, że poza tymi opłotkami toczy się inne życie, duchowo bogatsze i ciekawsze, wolne od stęchłego zapachu jeszybotowych foliałów i — bliższe jego autentycznym potrzebom wiedzy i ciekawości świata, nie tyle przeszłego, ile doczesnego. Rewolucję tę przyniosło żydowskie oświecenie — Haskala.

Pisarze Haskali wzorem zachodnioeuropejskich pisarzy oświecenia, głównie francuskich, nadawali często swym utworom mającym charakter ostrych, obyczajowych lub społecznych pamfletów, formę utworów dramatycznych. Utworów tych nikt przez długie dziesięciolecia na ziemiach dawnej Polski nie wystawiał, nie istniał bowiem teatr żydowski. Niekiedy drukowane, krążyły przeważnie w odpisach, przekazywanych z rąk do rąk. Tak trafiła do czytelników komedia Izaaka Euchela (1756—1854) *Pan Henoch, albo co z tym począć,* napisana w ostatnim dziesięcioleciu XVIIIw., traktująca o błędach wychowania i podobna w ujęciu tematu do powstałej w tym okresie sztuki Arona Wolfsohna (1754—1835) *Lekkomyślność i bigoteria.* Euchel i Wolfsohn byli przedstawicielami berlińskiej Haskali a ich utwory napisane po żydowsku stały się natchnieniem i wzorem dla działaczy Haskali w centralnej i wschodniej Polsce.

Wśród znaczących sztuk rozpoczynających na ziemiach polskich dramaturgię Haskali wymienić należy *Oszukańczy świat*, utwór przypisywany Mendlowi Lewinowi (1749—1826) z Satanowa. Była to pierwsza komedia w języku żydowskim. Następnie dramat Izraela Aksenfelda z Niemirowa (1797—1866) *Pierwszy żydowski rekrut* o Nachmanie, który z miłości do Efrymety poszedł „za całe miasto w rekruty" na trzydziestoletnią służbę wojskową; oraz sztukę Salomona Ettingera (1802—1856) z Warszawy *Serkełe* (zdrobniała forma imienia Sara).

O *Serkełe* i Salomonie Ettingerze pisał w 1888 roku wybitny przedstawiciel Haskali Abraham Ber Gotlober (1811—1899): „W 1837 roku przebywałem kilkakrotnie w Zamościu. Pewnego razu wydało mi się, że zachorowałem na cholerę, szerzącą się wówczas w Polsce. Kazałem przywołać do siebie doktora Ettingera. Ettinger przyszedł, zbadał mnie i powiedział: Po co Panu cholera? Poczuje się pan dobrze, gdy przeczytam mu moją *Serkełe*. Czytał mi, a ja słuchając *Serkełę* wyzdrowiałem i poczułem ochotę do pisania po żydowsku. W 1838 roku napisałem komedię *Baldachim*, którą ktoś potem wydał w Warszawie, zapominając podać nazwisko autora". Na deski sceniczne *Serkełe* trafiła w dość nieoczekiwany sposób w 1862 roku, w szkole rabinów w Żytomierzu. Dyrektorem szkoły był wówczas Chaim Zelig Słonimski. Żona jego, córka wybitnego matematyka Abrahama Sterna, przywiozła z Warszawy tekst *Serkełe* i wraz z uczniami szkoły przygotowała przedstawienie. Sztuka ta ponownie została wystawiona jeszcze w tym samym roku w Berdyczowie przez uczniów tamtejszej szkoły rabinicznej.

W drugiej poł. XIX w. były już pierwsze utwory dramatyczne pisane w języku żydowskim. Co prawda napotykały surowy ostracyzm środowiska chasydzkiego i niechęć nielicznego jeszcze w naszym kraju środowiska oświeconych Żydów. Była też publiczność, pragnąca rozumianego przez wszystkich słowa żydowskiego niesionego ze sceny, opowiadającego o sprawach bliskich, zarówno farsowo komicznych, jak i melodramatycznych. Potrzebny był jeszcze ostatni element żywego teatru żydowskiego: zawodowi aktorzy. Pojawili się oni przed żydowską publicznością w 70-ych latach XIX stulecia, a człowiekiem, któremu udało się zapoczątkować zespolenie tych trzech elementów w harmonijną całość, był Abraham Goldfaden (1840—1909), zwany ojcem teatru żydowskiego.

Kim byli ludzie, których Goldfaden a następnie inni powołali do zawodu aktora?

Pochodzili z różnych miast i miasteczek tzw. żydowskiej strefy osiadłości dawnego imperium rosyjskiego, Rumunii i dawnej Galicji. Ruszali w świat za chlebem, oferując wiele umiejętności, z których żadna nie była zawodem zapewniającym trwałą egzystencję. Niektórzy z nich nauczyli się zarobkować, śpiewając w piwiarniach, ogródkach i szynkach. Pochodzili przeważnie z Brodów i dlatego nazywano ich śpiewakami brodzkimi, od nazwy zasobnego niegdyś miasta w dawnym województwie tarnopolskim, w którym Żydzi stanowili 70% ludności. Śpiewacy brodzcy wprowadzili własny styl. Ich pieśni były najczęściej rymowanymi opowiadaniami śpiewanymi w stylu duetu operowego. Był to zadatek samorodnego aktorstwa, który przydał się bardzo w powstających do życia teatrach. Wśród pierwszych godfadenowskich aktorów znajdujemy również byłych starostów weselnych (badchanim), zawodowo rozweselających ludzi zgromadzonych na bogatych ucztach weselnych, wypędzonych subiektów sklepowych, niedoszłych kantorów bóżniczych i bezrobotnych nauczycieli (mełamedów).

Utworzona przez Goldfadena w 1886 roku w Jassach trupa aktorska występowała z jego sztukami w miastach Rumunii i południowo-zachodniej Rosji. Budziła wszędzie entuzjazm, świadczący o ogromnym zapotrzebowaniu na żydowski teatr ludowy. Takim był bowiem teatr Goldfadena. Goldfaden był w nim dyrektorem, a jednocześnie reżyserem, aktorem, a przede wszystkim autorem sztuk i kompozytorem pieśni. Sztuk tych napisał i wyreżyserował 39, między innymi takie jak: *Sulamit, Bar Kochba, Rekruci, Intryga albo Dwosia plotkarka, Dwaj Kunie lemł, Szmendryk*.

Rosnące zapotrzebowanie na widowiska teatralne sprawiło, że w krótkim czasie powstały i nie mniejszym cieszyły się uznaniem inne teatry. Z trupy Goldfadena wystąpił czołowy aktor Izrael Grodner i stworzył własny teatr. Sam nie pisał sztuk, znalazł jednak niezwykle płodnego autora Józefa Lateinera (1853—1918), który stał się w ostatnim dziesięcioleciu XIX w. jednym z głównych animatorów żydowskiego teatru w Ameryce. Napisał około 80 sztuk, w tym 5 oper. Inny dramaturg tego okresu współpracujący z Lateinerem, Mojżesz Horowitz, odznaczył się wyjątkową umiejętnością adaptowania wybitnych dzieł światowej literatury teatralnej, ciekawiących publiczność żydowską opowieści biblijnych, a także współczesnych wydarzeń. Teatr Lateinera i Horowitza był teatrem żywym, który wychodził również z potrzebną i tak poszukiwaną tematyką społecznie i politycznie aktualną (*Antysemita albo ideologia w Rumunii, Sznur na szyję albo ślepa sprawiedliwość, Galut rosyjski* itp.).

W Warszawie pierwsza próba uruchomienia sceny żydowskiej zanotowana została już w 1837 roku. Nie dała pomyślnego wyniku na skutek sprzeciwu dozoru bóżniczego, spełniającego wówczas funkcję autorytatywnego rzeczoznawcy w tej dziedzinie. Już jednak rok później odegrany został pięcioaktowy dramat *Mojżesz* „w języku, który stanowił mieszaninę niemieckiego i hebrajskiego i napisany był alfabetem hebrajskim w dialekcie, którym posługuje się duża część niemieckich i polskich izraelitów" (ogromnie zawiła formuła dla określenia języka żydowskiego). Autorem sztuki, jak podał korespondent wydawanej w Berlinie „Allgemeine Preusische Staats Zeitung", realizatorem całości i wykonawcą głównej roli był niejaki Scherspirer z Wiednia. Sztuka wystawiana była trzy razy i przyjmowana przez publiczność z wielkim aplauzem. Znamienne jest, że notatka o przedstawieniu ukazała się w czasopiśmie berlińskim, nie mówiąc już o tym, że sama sztuka *Mojżesz* wystawiona została na żydowskiej scenie warszawskiej 2 lata przed urodzeniem się Abrahama Goldfadena i bez mała 40 lat przed utworzeniem przez tego „ojca teatru żydowskiego" — pierwszego teatru w Jassach.

Zabójstwo w 1881 roku cara Aleksandra II w Rosji i rozpętana następnie fala pogromów były przyczyną zamknięcia teatrów żydowskich. Ludzie związani z teatrem emigrowali do innych krajów, przede wszystkim do Ameryki. Do Ameryki wyjechał również Goldfaden, ale nie cieszył się tam powodzeniem. Stało się ono udziałem innych. Nowy Jork przez długie lata był głównym ośrodkiem przyciągającym ludzi żydowskiego teatru. Działały tam: People's Theater, Thalia Theater, Grand-Oriental Theater, które umiały przez wiele lat odtwarzać na swych scenach klimat małych żydowskich miasteczek wschodnich kresów dawnej Rzeczpospolitej, dokumentując trwałość i nierozerwalność więzów łączących z ziemią ojczystą tych, co w ucieczce przed pogromem lub za chlebem znaleźli nowy dom na ziemi amerykańskiej.

Pisał dla teatru autor tej miary co Szalom Abramowicz znany w literaturze jako Mendele Mocher Sforim (m. in. *Taksa, Pryzyw*). Pojawił się pierwszy reformator teatru żydowskiego dramaturg Jakub Gordin, który opracował dla sceny żydowskiej wiele sztuk klasyki teatralnej od Lessinga i Schillera, do dzieł opartych na *Fauście* Goethego (*Bóg, człowiek, diabeł*). Z ogromnej liczby dzieł napisanych przez Gordina wymienić należy przede wszystkim *Wolność, Żydowską królowę Lear albo Mirele Efros* oraz *Żydowskiego króla Lear*. Do czołówki jednak należał Szalom Rabinowicz (1859—1916), którego literacki pseudonim brzmi jak braterskie pozdrowienie: Szalom Alejchem. Wdzięk jego wodewilów, popularnych przed pół wiekiem, przygasł już bardzo, ale jego sztuki *Stempeniu*, a szczególnie *Tewje mleczarz* w odmłodzonym kształcie musikalu noszącego nazwę *Skrzypek na dachu* (Anatewka) rozrzewniają do dzisiaj, gdziekolwiek są wystawiane.

Trwale zrosły się ze sceną żydowską dramaty Pereca Hirschbeina, który pod wpływem symbolizmu napisał *Ajnzame wełtn* (Samotne światy), *Kworim blumen* (Kwiaty na mogiłach), *Demerung* (Zmierzch), aby następnie zająć się tematyką społeczną: *Di newejle* (Padlina), *Joel, Inteligent, Grine felder* (Zielone pola), *Szmids techter* (Córki kowala) i nasyconą głęboką mistyką sztukę *Di puste krecżme* (Pusta karczma). W konwencji symbolizmu pisał swe utwory dramatyczne Izaak Lejb Perec (1852—1935) *Di gołdene kejt* (Złoty łańcuch) i *Bajnocht ojfn ałtn mark* (Nocą na starym rynku).

Problemy nierówności klasowej w społeczności żydowskiej znacznie wyraziściej niż Hirschbein przedstawiał Dawid Piński (1872—1959). Jego naturalistyczne dramaty *Di mame* (Matka), *Jankel der szmid* (Jankiel kowal), *Ajzyk Szeftel, Rodzina Cwi, Sztumer Mesiach* (Niemy Mesjasz) sprawiły, że nazywano go żydowskim Bertholdem Brechtem.

Innymi drogami rozwijał się talent dramaturgiczny H. Leiwika (prawdziwe nazwisko Leiwik Halpern). Ten wypędzony z jeszybotu za ateizm niedoszły rabin, zesłany potem na Sybir za udział w rewolucyjnym ruchu robotniczym, był autorem znakomitych sztuk. Najlepsze jego dzieła to *Der Gojlem* (Golem), *Di szmates* (Szmaty), *Maharam z Rutenbergu.*

Osip Dymow (1878—1942) rodem z Białegostoku był publicystą, zanim zaczął pisać dla teatru. W jego dramatach motywem przewodnim były najczęściej konflikty rodzinne, a gdy poruszał tematykę żydowską, słychać w niej namiętny protest przeciw bezprawiu i uciskowi. Takim był dramat *Szma Israel* (Słuchaj Izraelu). Jego sztuka *Nju* wystawiona była w wielu językach podobnie jak *Bronx ekspress*, której przedstawienie w warszawskim teatrze Ateneum w listopadzie 1929 roku recenzował w „Naszym Przeglądzie" J. Appenszlak, a w „Robotniku" Karol Irzykowski.

Nie ominął dramaturgii najwybitniejszy epik w literaturze żydowskiej, urodzony w Kutnie Szalom Asz (1880—1957). Jego dramaty *Z prądem, Sabataj Cwi, Grzesznik, Motke złodziej, Amnon i Tamar* były wydarzeniami kulturalnymi wysokiej miary w środowiskach żydowskich wielu miast, a jego *Bóg zemsty* wystawiony był w Berlinie przez Maksa Reinhardta.

Przedstawioną wyżej, niepełną rzecz jasna, galerię żydowskich pisarzy tworzących repertuar teatrów żydowskich zamknąć należałoby nazwiskiem Szymona An-Skiego (1863—1920, Salomon Rapoport), autora hymnu robotników żydowskich *Di szwue* (Przysięga). Jego dramat — *Misterium na pograniczu dwóch światów,* znany pod tytułem *Dybuk* jest jak gdyby pożegnaniem starego świata żydowskiej mistyki ubranej w kształt chasydzkiej legendy.

Próby utworzenia stałego teatru żydowskiego natrafiały przez długie lata na opory ze strony środowiska chasydzkiego, a także na niechęć i pogardę wobec kultury żydowskiej carskich urzędników. W miarę upływu lat sytuacja stopniowo się zmieniała. Władze zaczęły tolerować na scenie „język niemiecko-żydowski". W 1885 roku ze swym zespołem występował w Warszawie Abraham Goldfaden. Jak wielkie było zapotrzebowanie na żydowskie widowiska teatralne, świadczy fakt, że goldfadenowska *Sulamit* miała 150 przedstawień.

W końcu XIX w. Jakub Ber Gimpel otworzył stały teatr żydowski we Lwowie, w którym zrodził się i rozwinął wielki talent aktorski Berty Kalisch.

Na pocz. XX w. teatr żydowski na ziemiach zaboru rosyjskiego zaczął rozwijać ożywioną działalność. W Warszawie pojawiły się zespoły Kamińskiego, Kampanijca, Fischsohna i Rafaela, w Łodzi zespoły Sandberga i Spiwakowskiego, w Wilnie Genfera. Docierały one również na daleką prowincję. W ich repertuarze znalazły się zarówno oryginalne sztuki żydowskie, jak i tłumaczenia oraz adaptacje utworów innych autorów.

W 1892 roku w Warszawie w teatrze Eldorado występowała Estera Rachel Kamińska (1870—1925), późniejsza założycielka teatru przy ulicy Oboźnej. Aktorka zasłynęła w czasie występów tego teatru w Petersburgu, Nowym Jorku, Londynie i Paryżu jako żydowska Eleonora Duse. Obok niej wyrastał wielki talent jej córki Idy Kamińskiej (1899—1978).

Na sceny teatrów żydowskich w Polsce, głównie warszawskich i wileńskich trafiały prapremiery sztuk i adaptacji scenicznych Szaloma Alejchema. Publiczność poznawała ogromny, znany uprzednio tylko w Nowym Jorku, repertuar Jakuba Gordina, a jego *Mirele Efros* grana była również na scenach polskich z Wandą Siemaszko w roli tytułowej. Warszawa stała się głównym ośrodkiem żydowskiego życia teatralnego, a aktorzy warszawscy zasilali teatry innych miast. Teatry: Eldorado, Bagatela, Ermitage, Centralny, Nowości, Elizeum to nazwy niektórych tylko teatrów żydowskich Warszawy — stolicy Polski, liczącej wówczas ok. 350 tys. ludności żydowskiej.

Wzrastającej liczbie teatrów żydowskich i rosnącej liczbie aktorów nie zawsze towarzyszył odpowiedni repertuar. Teatry żydowskie nie korzystały z czyjejkolwiek pomocy finansowej. Zdane na „własną kasę" musiały często robić kasę przy pomocy repertuaru niższego lotu. Szły więc i cieszyły się powodzeniem wodewile z łatwą, często rzewną muzyką, a słowa i melodie piosenek opuszczały teatr wraz z publicznością i towarzyszyły jej długo jeszcze, w domu i przy pracy. Szły i cieszyły się powodzeniem sztuki sentymentalne, których fabuła łączyła wątek romansowy z motywami społecznymi i obyczajowymi małych miasteczek. Ze sceny spływało na widownię ciepło znanych spraw, bliskich każdemu i często wyciskało łzy autentycznego wzruszenia. Wybrzydzali inteligenci i krytycy prasowi. Głosili, że społeczeństwo żydowskie czeka na teatr, który by jakością wystawianych sztuk i grą aktorską odpowiadał poziomowi intelektualnie dojrzałej widowni. Tak jednak nie często bywało w teatrze żydowskim.

Z perspektywy dziesięcioleci, które minęły od tamtych czasów, inaczej patrzymy i inaczej oceniamy teatr żydowski aniżeli wybredni esteci lat dwudziestych i trzydziestych naszego stulecia. Pochylmy czoła przed rozpływającymi się we mgle dawności sylwetkami aktorów, często niezdarnymi mistrzami teatralnych iluzji, których kreacje budziły wzruszenia w sercach szewców, czeladników piekarskich czy początkujących subiektów sklepowych i daremnie wyczekujących na narzeczonych szwaczek. Każdy, kto dawał im chwilę wzruszenia lub chwilę wesołości niewybrednymi nawet żartami, każdy, kto wnosił w ich szare i monotonne życie, wypełnione surową walką o utrzymanie się na powierzchni iluzję lepszego życia, zasługuje na szacunek. Wierzymy, iż w tych prymitywnych przedstawieniach dokonywało się zespolenie sceny z widownią, a więc to, o czym marzyli zawsze najwięksi reżyserzy świata.

Był też zespół teatralny, którego inscenizacje budziły często najwyższe zainteresowanie nie tylko w Warszawie, ale w każdym mieście, w którym występował. Nosił nazwę Trupy Wileńskiej, choć w ciągu 27 lat działalności z Wilnem związany był trwale tylko przez pierwsze cztery lata, kiedy był teatrem amatorskim. Trupa Wileńska utworzona przez Jakuba Ben Ami (1912) zwracała uwagę stylem gry. W zasadzie od czasów Goldfadena każdy teatr żydowski oparty był na jednym lub dwóch wybitnych aktorach; Trupa Wileńska, nie rezygnując z wybitnych indywidualności aktorskich, umiała wykształcić u aktorów styl gry, w którym każdy aktor na scenie, każde jego słowo i ruch były ważnym, dokładnie opracowanym elementem całości spektaklu.

W roku 1921 Trupa Wileńska rozpadła się na dwa zespoły. Jeden z nich wyjechał do Wiednia a stamtąd do Rumunii, skąd powrócił w 1929 roku i znowu zbierał laury w Warszawie, Wilnie, Krakowie i Lwowie. Jedna tylko sztuka Szaloma Asza *Kidusz Heszem* miała ok. 200 przedstawień.

W Wiedniu w 1921 roku podziwiał grę zespołu Robert Musil. Zafascynowała go szczególnie interpretacja Noego Nachbuscha, w którego głosie słyszał echo synagogalnych śpiewów, oraz uduchowione aktorstwo Miriam Orleskiej. Musil był zdania, że Trupa Wileńska obok zespołu Teatru Stanisławskiego to najlepsze ówczesne teatry Europy.

Druga część Trupy Wileńskiej, która nazwała się Żydowskim Teatrem Artystycznym, po występach w Berlinie, Amsterdamie i Antwerpii osiadła w Ameryce.

W przedwojennym tomiku Małego Rocznika Statystycznego czytamy, że w połowie lat trzydziestych (1936 r.) czynnych było w Polsce 15 teatrów żydowskich. Nie zapominajmy, że teatry żydowskie nie otrzymywały dotacji z funduszy państwowych czy miejskich, że ich sytuacja finansowa była stale trudna, często głodowa. Do tej liczby dochodzi kilkadziesiąt teatrów amatorskich. Poziom tych ostatnich nie ustępował często teatrom zawodowym; wystarczy wspomnieć Trupę Wileńską, która swe podstawowe cechy wykazała w okresie, gdy była teatrem amatorskim, czy też robotniczy zespół Orfeusz, występujący w teatrze Estery Rachel Kamińskiej w Warszawie.

Głód teatru był zjawiskiem stałym. Nie ustępował nawet przed głodem fizycznym w latach kryzysu gospodarczego, gdyż nawet wtedy nie były puste widownie teatralne. Jego konsekwencją był głód repertuarowy, występujący zresztą we wszystkich teatrach świata, ale w teatrach żydowskich miał on cechy szczególne.

Teatr żydowski w Polsce i nie tylko w Polsce stał zawsze przed męczącym i trudnym pytaniem: czy ma być wyłącznie teatrem własnej, żydowskiej dramaturgii, czy też dramaturgii światowej?

Zaczynał teatr żydowski od cieszących się ogromnym powodzeniem sztuk nasyconych ludowym patosem, budujących narodową jaźń, w których próbował ukazywać w zwierciadle rzeczywistości istotę żydowstwa, odtwarzać „prawdy życia" różnych środowisk żydowskich. Przodował w tej dziedzinie teatr Estery Rachel Kamińskiej na Oboźnej.

Publiczność teatralna, której świadomość społeczną rozbudziła rewolucja 1905 roku, skłonna była akceptować repertuar o bardzo dużej rozpiętości dramaturgicznej — od sentymentalnych sztuk żydowskich w rodzaju *Cuzajt un cuszprajt* (Rozsiani i rozproszeni), *Meszijahs cajtn* (Czasy Mesjasza), *Di meszpuche* (Rodzina) do szekspirowskiego *Hamleta* i *Kupca weneckiego*, wiedeńskich operetek i sztuk bulwarowych. Równocześnie z powszechnie lubianym repertuarem przyszły idylle Pereca Hirschbeina i jego elegijno-nastrojowe *Rodzynki z migdałami* (Rozinkes mit mandlen), *Pusta karczma, Zielone pola, Córki kowala*. Inscenizacjom tych sztuk brak było dobrej malarsko scenografii, niezbędnej już wtedy w sztukach z pogranicza symbolizmu i naturalizmu, oczywistej dla bywalców teatru uznających zasadę, że teatr to nie tylko słowa przekazywane ze sceny, ale także odpowiednia forma oprawy tych słów.

W repertuarach teatrów artystycznych takich jak Trupa Wileńska, Teatr Zygmunta Turkowa (WIKT) a także w teatrach rewiowych Azazel, Sambatian, Ararat pojawił się dylemat: własna, żydowska dramaturgia czy dramaturgia światowa. Dylemat ten nie był w latach dwudziestych i trzydziestych rezultatem poszukiwania widowisk kasowych, lecz coraz wyraźniej rysujących się tendencji do stworzenia własnego profilu artystycznego poprzez odmienność stylu gry, oprawę muzyczną i scenografię. Wzrosła szczególnie rola specyficznych motywów żydowskich w muzyce. Wyrazem trafnych rozwiązań w tych poszukiwaniach była m. in. oryginalna inscenizacja *Dybuka*, stworzona przez Dawida Hermana. Doszukiwano się w niej lansowania pierwiastka mistycznego, chociaż w istocie rzeczy Herman poprowadził swe sceniczne dzieło w tonacji naturalistycznej impresji, bez cienia mistyki. Elementy mistyki w *Dybuku*, tej sztandarowej sztuce teatru żydowskiego, wyraźnie podkreślone były w inscenizacjach innych reżyserów, np. Abrama Morewskiego w Wilnie, Morisa Schwarza w Nowym Jorku i Wachtangowa w Moskwie.

Teatr prowadzony przez Zygmunta Turkowa i jego żonę Idę Kamińską w Warszawie umiał znaleźć właściwy punkt równowagi między tematyką żydowską a światowym repertuarem klasycznym. Połączyć doskonałe aktorstwo ze znakomitą scenografią, co zapewniało wysoką wartość takich przedstawień jak: *Motke złodziej* Asza, *Serkełe* Ettingera, jak i gogolewskiego *Rewizora* i molierowskiego *Skąpca*.

Teatr Zygmunta Turkowa unaocznił ważną cechę żydowskiego teatru: aktor żydowski czuł się najlepiej w komedii, bez względu na jej żydowską lub nieżydowską proweniencję. Komedia była jego żywiołem, był w niej autentycznym aktorem.

Wydać się to może paradoksem, ale *Skąpiec* Moliera bliższy był możliwościom i zdolnościom ekspresji aktora żydowskiego niż bohater sztuki *Bóg zemsty* Asza czy *Pusta karczma* Hirschbeina. Trudno dziś ustalić, czy w zjawisku tym należy szukać, zarówno u aktorów, jak i widzów, podświadomych reminiscencji dawno zapomnianych ludowych purimszpilów — przez wieki jedynych okazji dla rozhukanej wesołości porywającej w swój wir zarówno publiczność, jak i animatorów zabawy — czy też po prostu potrzeba wesołości była u jednych i drugich naturalną konsekwencją warunków, w których toczyło się ich nielekkie, codzienne życie od pokoleń. Tak to ujął popularny ówczesny krytyk J. Brauner: „Żydowskie oczy płakały zbyt często i wypłakały zbyt wiele łez. Powinniśmy być wystarczająco dojrzali i mądrzy, by do spraw tragicznych podchodzić z filozoficznym spokojem greckich epikurejczyków. Posiadamy to, co wolno nazwać wrodzonym poczuciem humoru. Nasze tragedie podobnie jak nasza mistyka balansują zawsze na krawędzi groteski... Od wzniosłości do śmieszności jest przecież tylko jeden krok..."

Rzeczywistość martyrologii okupacyjnej zniweczyła pozorną zasadniczość podobnych kategorii myślenia i sprawiła, że w skali tak wielkiej jak nigdy przedtem losy ludzi skamieniały w tragedię, za którą była tylko cisza.

Owa cisza miała krótkie interludium. W getcie warszawskim, największym, bo prawie półmilionowym żydowskim obozie koncentracyjnym świata, hitlerowcy zezwolili na otwarcie i prowadzenie kilku teatrów. Między grudniem 1940 a lipcem 1942 roku było ich pięć. Trzy z nich — Eldorado, Nowy Azazel i Melody Palace grały w języku jidysz, dwa — Femina i Nowy Teatr Kameralny w języku polskim. Prezentowały wszystkie podstawowe gatunki sztuki teatralnej, od rewii (Femina) i operetki (Eldorado, Melody Palace) do dramatu (Nowy Azazel, Nowy Teatr Kameralny). W programach tych teatrów znaleźć można było jak gdyby w migawkowym ujęciu odbicie półwiekowej działalności teatru żydowskiego w Polsce, od Lateinera, Gordina i Szaloma Alejchema do Anskiego i Asza. Był nawet *Skąpiec* Moliera, a także humor w stylu przedwojennych kabaretów Morskie Oko i Qui pro Quo, przeniesiony i zaadaptowany w getcie.

Teatralne interludium w getcie warszawskim było tylko jeszcze jednym elementem perfidnej taktyki łudzenia skazanych już na śmierć ofiar, płomykiem nadziei, który pozwolono im własnymi rękami zapalić, aby go zdusić, gdy w komorach gazowych duszono tych, co płomyk ten nieśli.

Czy był to tylko kaprys Ananke żydowskiego teatru, która kazała mu odrodzić się po katastrofie zagłady i trwać do dziś w Polsce?

Kaprysem na pewno nie był pierwszy wieczór pieśni żydowskich w lubelskim Domu Pereca krótko po wyzwoleniu, przeznaczony dla grupy Żydów — ocalałych więźniów obozu na Majdanku, dla wychodzących z lasu partyzantów żydowskich i tych Żydów, żołnierzy I Armii Wojska Polskiego, którzy zatęsknili za muzyką żydowską. Mało już ludzi przypomina sobie Dianę Blumental śpiewającą pieśni, które niezależnie od tekstu i melodii brzmiały wtedy dla słuchaczy jak modlitwa *El mole rachamim,* wysłuchana ze ściśniętym sercem.

Nie były również kaprysem, lecz wyrazem dobrze rozumianej troski o zaspokojenie potrzeb duchowych ludzi wychodzących z ukrycia, powracających z różnych obozów Trzeciej Rzeszy i tych, co wracali jako tułacze z dalekiej Syberii, Kazachstanu, Kirgizji, Uzbekistanu i innych obszarów Związku Radzieckiego, gdy działający już wtedy Centralny Komitet Żydów w Polsce znalazł siły i środki, by zadbać o ich potrzeby materialne, ale także pamiętać o ich potrzebach kulturalnych.

A więc znowu teatr. Najpierw w Łodzi, a nieco później we Wrocławiu. Te dwa miasta były na przemian siedzibą Państwowego Teatru Żydowskiego, jako ośrodki skupiające największą liczbę ludności żydowskiej. Dopiero w 1955 roku PTŻ imienia Estery Rachel Kamińskiej otrzymał stałą siedzibę w Warszawie.

Nie było, i po dzień dzisiejszy nie jest rzeczą łatwą znalezienie dla tego teatru linii repertuarowej.

Krzewić żydowską kulturę teatralną było zadaniem względnie prostym i całkowicie naturalnym w warunkach, gdy masy żydowskie były lub stać się mogły jej wyłącznym, a może tylko głównym odbiorcą. Masy rozumiane jako maksymalnie duża grupa ludzi przywiązanych do języka żydowskiego, posługujących się nim jako środkiem codziennej między sobą komunikacji, wchłaniających tworzoną w tym języku literaturę. Po kataklizmie zagłady żydowstwa polskiego z tej wielkiej kiedyś grupy pozostały żałosne resztki, z których część przestała posługiwać się swym macierzystym językiem, lub języka tego w ogóle nie znała. Wychowana była bowiem w zasymilowanym domu i polskiej szkole, w atmosferze i duchu kultury polskiej. Ludzie ci nie znali bolesnej ironii opowiadań Szaloma Alejchema ani epickich wizji ukazanych w powieściach Szaloma Asza, zupełnie obca była im gorąca uczuciowość żydowskiej liryki i przejmujący tragizm dawnych żydowskich legend.

I tylko teatr mógł jednym przypomnieć, innym przybliżyć ów świat ludzi i spraw odeszłych w mrok, ocalić od zapomnienia kształt wyobraźni pisarzy tworzących w przeszłości na polskiej ziemi w języku ludu żydowskiego.

Wszystko, co na ziemi tej powstało w dziedzinie kultury duchowej, jest nieodłącznym składnikiem polskiej kultury, bez względu na język, w którym zostało stworzone, i powinno być chronione, a także przekazywane pieczołowicie następnym pokoleniom jako skarb narodowego bogactwa.

Teatr żydowski potrzebny jest więc nie tylko wymierającej grupie ludzi związanych organicznie z tysiącletnią i zmieniającą swe treści w ciągu wieków kulturą żydowską, potrzebny jest całemu naszemu społeczeństwu, jak ołtarz świątyni, w której odbywa się wyrosła z szacunku dla wspólnej przeszłości liturgia polsko-żydowskiego współistnienia.

MUZYKA

U źródeł muzyki żydowskiej w Polsce legły dwie podstawy: kultura religijna oraz folklor.

Prapoczątki żydowskiej muzyki religijnej sięgają czasów biblijnych i dziś trudno powiedzieć, co z owych czasów przetrwało, a co nawarstwiało się na nią przez wieki, by wreszcie stworzyć jej styl i formę, melodykę i koloryt. Do muzyki religijnej przenikały różnorodne wpływy, m. in. pieśni Żydów Europy Zachodniej i Wschodniej, a także muzyka narodów, wśród których Żydzi żyli. Wędrowni kantorzy, często w otoczeniu małego chóru, będącego wokalnym akompaniamentem, przenosili dawne i nowe melodie modlitw i pieśni religijnych. Nie były one wolne od wpływów regionalnych, od folkloru — nie tylko żydowskiego. W kulturze synagogalnej improwizacje kantorów były uważane za rzecz naturalną.

Wśród kantorów indywidualności i wykształcenie muzyczne były zróżnicowane. Niektórzy posiadali wykształcenie seminaryjne, niekiedy także muzyczne. Większość, szczególnie w małych miastach, uczyła się u znanych chazenów (kantorów). Jednakże wspólną ich cechą była muzykalność, piękny i silny głos, duże uduchowienie i emocjonalność interpretacji.

Na ziemiach polskich niektórzy kantorzy cieszyli się wręcz legendarną sławą, osiągając popularność i uznanie nie tylko wiernych, ale także nieżydowskiej elity muzycznej. Do takich należał np. zaledwie 13-letni kantor Joel Dawid Jaszuński, zwany „Baal-Bejsyl" (zm. w 1850 r.), którym zachwycał się Stanisław Moniuszko i inni polscy muzycy połowy XIX w.

Do rozkwitu wokalnej muzyki synagogalnej w Polsce przyczyniła się przede wszystkim, w XIX i na początku XX w., budowa nowych synagog. Im wspanialsza była świątynia, tym większe były starania o jakość wokalnej strony nabożeństw. Dzięki poprawie sytuacji materialnej społeczności żydowskiej i zasobności komitetów synagogalnych i bóżniczych wykształciła się na ziemiach polskich cała plejada kantorów stojących na poziomie najlepszych śpiewaków operowych. Wielu z nich zrobiło światową karierę, o ich zaangażowanie zabiegały zarządy wielu synagog w krajach Europy Zachodniej i obu Ameryk.

Znaczącą pozycję w dziedzinie sakralnej kultury wokalno-muzycznej osiągnęła działająca od 1878 roku do tragicznych dni okupacji hitlerowskiej Wielka Synagoga w Warszawie na Tłomackiem. Na nabożeństwa w dniach szczególnie uroczystych świąt, poza stale modlącymi się tu wiernymi, przeważnie postępowej elity żydowskiej, można było wejść tylko za specjalnymi zaproszeniami, o które często zabiegali wybitni muzycy i śpiewacy polscy, duchowni, przedstawiciele rządu. Warto też zaznaczyć, że Wielka Synagoga na Tłomackiem, jako jedna z nielicznych w Polsce, miała charakter zreformowany (tzw. niemiecki), dopuszczający obok chóru akompaniament muzyki organowej.

W okresie międzywojennym światową sławą cieszyli się nadkantorzy i kantorzy oraz chóry także innych synagog, jak np. im. Nożyka w Warszawie (czynnej do dziś przy ulicy Twardej), pięknej synagogi na Pradze (zniszczonej podczas okupacji), a także innych miast, jak Krakowa, Łodzi, Białegostoku, Lublina, Lwowa, Wilna.

Spośród sławnych kantorów polskich na pierwszym miejscu należy wymienić Gerszona Sirotę (1877—
—1943), nazywanego „królem kantorów" i „żydowskim Caruso". Odprawiał nabożeństwa w synagogach na Tłomackiem i u Nożyka, ale gościnnie także w innych miastach kraju i za granicą. Dość często występował na estradach koncertowych, mając w swoim repertuarze obok muzyki religijnej także świecką, m. in. arie ze znanych oper. Pozostawił liczne nagrania płytowe. Był to rzeczywiście wielki tenor dramatyczny, o dużej sile, a zarazem słodyczy głosu, mistrz koloratury. Obok wybitnego talentu, posiadał gruntowne wykształcenie muzyczne i może dlatego zarzucano mu niekiedy „operową manierę". Jego muzykalność, wspaniały głos i niezwykłe zdolności improwizatorskie uważano za istny „dar niebios". Na próżno sceny operowe wielu krajów zabiegały o tego wspaniałego tenora, pozostał wierny synagodze. Podczas powstania w getcie warszawskim wraz z rodziną spłonął w swoim mieszkaniu przy ulicy Wołyńskiej 6.

Drugim wybitnym nadkantorem Wielkiej Synagogi był od 1925 roku Mosze Kusewicki (1889—
—1965). Śpiewał na zmianę z Sirotą. Wywoływał ekstazę i entuzjazm. Był rozrywany na gościnne odprawianie nabożeństw za granicę, nagrywany na płyty w Polsce i w Ameryce. Z pożogi wojennej uratowała go ucieczka do Związku Radzieckiego, gdzie występował jako tenor z repertuarem operowym, m. in. śpiewał w Operze Gruzińskiej w Tbilisi. Po wojnie osiadł na stałe w Stanach Zjednoczonych.

Odnotujmy jeszcze kilka nazwisk najbardziej znanych polskich kantorów. Byli nimi: Eliezer Gerszowicz (1844—1913), Dawid Nowakowski (1848—1923), Jakub Szmul Morogowski (1856—
1943), Pinchas Minkowski (1859—1924), Mosze Abraham Bernsztajn (1866—1932), Mordechaj Herszman (1886—1943), Pinchas Szerman (1887—1942), Eliahu Żołądkowski (1888—
1942), Boruch Schorr (1904—1923). Swojego rodzaju sensację w polskich synagogach wywoływał genialny kantor-kompozytor Amerykanin Josełe (Josef) Rosenblat (1880—1933), częsty gość w Polsce. Jego płyty do dziś są bestsellerami.

Oczywiście muzyka synagogalna nie ograniczała się tylko do działalności kantorów. Polskie synagogi słynęły z doskonałych chórów. Były to w zależności od wielkości synagogi chóry kilku, kilkunasto- lub kilkudziesięcioosobowe. Np. Chór Wielkiej Synagogi w Warszawie liczył ponad sto osób i kilku solistów. Było tych chórów setki. Działały zresztą również w świeckim życiu muzycznym. Np. świetny chór przy Wielkiej Synagodze na Tłomackiem, kierowany do wybuchu wojny we wrześniu 1939 roku przez Dawida Ajzensztadta, był rewelacją w swoim rodzaju. Często gościł na estradach koncertowych z repertuarem, gdzie obok muzyki religijnej znajdowały się utwory świeckie — stylizowane żydowskie pieśni ludowe, fragmenty oper i oratoriów. Występował też chór Ajzensztadta przed mikrofonami Polskiego Radia.

Na pograniczu twórczości ludowej stoi muzyka chasydzka. Była ona uprawiana na „dworach" przywódców chasydzkich, którymi byli znani rabini, tzw. cadycy, czyli świątobliwi. Ich swojego rodzaju religijne festyny nacechowane były adoracją Boga, połączoną ze śpiewem, muzyką i tańcem. Tę osobliwą ideologię chasydzką scharakteryzował jeden z jej rzeczników Nachman Brasławer (1772—1811): „Chodźcie, pokażę wam nową drogę do Boga. Nie przez mowę, ale przez śpiew. Będziemy śpiewali i niebo nas zrozumie..." Powstawały więc pełne ekstazy i egzaltacji śpiewy i tańce. Ich twórcami byli przeważnie nabożni chasydzi (w Polsce ich „dwory" mieściły się m. in. w Górze Kalwarii, w Grójcu, w Warce), ludowi muzycy, śpiewacy, często i sami świątobliwi. Była to twórczość nader interesująca, do dziś częściowo istniejąca w zbiorach i nagraniach.

Drogą tradycyjnych przekazów zachowała się ludowa twórczość obrzędowa. Uświetniała uroczystości rodzinne, m. in. zaręczyny, zaślubiny, chrzciny, konfirmacje, pogrzeby.

Bogata była, przeważnie anonimowa, żydowska twórczość ludowa. Liczne pieśni przetrwały do dziś drogą tradycyjnego, ustnego przekazu. Wydano szereg zbiorów tych pieśni, pochodzących na ogół z krajów Europy Wschodniej, przeważnie z ziem polskich. Są to pieśni historyczne, miłosne, rodzinne, dziecięce kołysanki, a także żołnierskie i zrodzone w czasie drugiej wojny światowej, partyzanckie i gettowe. Ich osobliwe piękno i emocjonalna treść nabrała po drugiej wojnie światowej szczególnego znaczenia.

Wiele interesujących melodii ludowych uległo zapomnieniu. Pod koniec XIX w. zaczęto myśleć o spisywaniu i kultywowaniu zabytków żydowskiej twórczości ludowej. Zaczęto zbierać i wydawać je drukiem. Zbiory takie wydali przed wojną Marek Ginzburg, Noe Pryłucki, Joel Engel oraz popularny w Warszawie zbieracz i popularyzator folkloru żydowskiego Menachem Kipnis (1878—1942). Znał on folklor z autopsji, wychowywał go jako sierotę najstarszy brat, kantor w synagodze w Wolinie. Śpiewał w chórach podczas nabożeństw z tak znakomitymi kantorami jak Berl Miler, Jakub Samuel Morogowski, Abraham Ber Birnbaum z Częstochowy i wielu innych. Z niektórymi z nich odbywał podróże po Polsce, dając własne koncerty folklorystyczne i zbierając pieśni ludowe. Szesnaście lat śpiewał w Chórze Opery Warszawskiej i w chórze Wielkiej Synagogi na Tłomackiem. Przez całe życie zbierał żydowskie pieśni obrzędowe i ludowe, miał żywy kontakt z samorodnymi żydowskimi śpiewakami. Wśród nich znalazł swego „słowika" — żonę Zimrę Zeligfeld, która stała się znakomitą partnerką w jego ludowych koncertach. Kipnis był także krytykiem muzycznym; pisywał artykuły do dziennika „Hajnt", wydał w języku żydowskim kilka książek o muzyce, m. in. *Słynni muzycy żydowscy, Kantorzy i śpiewacy, Żydowscy klezmerzy w Polsce, Od prymitywnej pieśni ludowej do muzyki symfonicznej* i dwa zbiory żydowskich pieśni ludowych.

Rodowód żydowskiej pieśni ludowej jest bardzo rozmaity. Sporo w nim wpływów narodowości, wśród których Żydzi żyli, a więc i folkloru polskiego. Były to zresztą wpływy wzajemne, bo i polski folklor wchłaniał motywy żydowskie, chociażby lansowane przez kapele klezmerskie, grające w polskich karczmach, na weseliskach, a nawet na pańskich dworach. Sporo pieśni tworzyli okazjonalnie samorodni poeci-śpiewacy. W XIX w. wsławił się np. Welwele Zbarażer, czyli Beniamin Zeew Erenkranc (1826—1883), improwizator, układający na życzenie słuchaczy aktualne teksty i melodie. Podobnie też tworzył Eliakum Cunzer (1836—1913), którego śpiewana poezja była bardzo wszechstronna, od głębokiej zadumy nad ludzkim losem, po opis życia biednego ludu i jego małych radości życia codziennego, od słodkich, ckliwych melodii, po chasydzkie, skoczne tańce; stworzył jakby syntezę ludowości słowiańskiej i żydowskiej.

Było takich twórców ludowych wielu — ostatnim z nich był Mordechaj Gebirtig (właściwie: Bertig,

1877—1942), krakowianin, stolarz z zawodu, poeta i pieśniarz, bard ludowy, którego pieśni spisywali znajomi muzycy, jako że sam nut nie znał. Jego piosenki stały się szlagierami śpiewanymi przez popularnych aktorów żydowskich, jak Mali Pikon, Josełe Kołodny i jego córka Lola Gebirtig, lansowanymi na scenach żydowskich teatrów małych form, jak Azazel, Ararat, Sambation. W 1920 roku ukazał się pierwszy tomik jego pieśni *Fołksstimnałech* (Na ludową nutę), a w 1936 roku, z okazji 30-lecia jego działalności, zbiór 50 utworów *Majne lider* (Moje pieśni). Z okazji wydania tego zbiorku Menachem Kipnis napisał: „Żydowską miłość, żydowską rodzinę, matki i dzieci, żydowską biedę i niedostatek — odmalowuje on w ciepłych, nie fałszowanych barwach ludowych... cechą szczególną jego pieśni jest to, że ściska ona serce, ale też i ogrzewa duszę ową słodką, żydowską melancholią i radosnym drgnieniem. Nie z bogatych salonów, ale z gołych ścian biednej izby żydowskiego rzemieślnika idzie jego pieśń..." Gebirtig kontynuował swoją twórczość w getcie krakowskim, ale w niej mniej jest sentymentu i radości, a więcej cierpienia. Dramatyczny jest jego *Tog fun nekume* (Dzień zemsty), napisany 5 I 1942 roku. 4 VI 1942 roku, podczas wielkiej akcji w getcie krakowskim w drodze do wagonów dla deportowanych do Bełżca Żydów, został zastrzelony. Jego, napisana w 1938 roku, pieśń *S'brent, undzer sztetł brent* (Gore, nasze miasteczko gore), stała się podczas okupacji hymnem walczących gett i wezwaniem do boju.

Do twórców tego rodzaju należy też Izrael Glatsztejn (1894—1942), którego znakomite pieśni, m. in. *Klingen gleker* (Dzwonią dzwony), zyskały dużą popularność. Zginął w getcie warszawskim. Współtwórcami muzyki ludowej byli żydowscy grajkowie zwani klezmerami, działający na ziemiach polskich od XVI w. Byli członkami kapel dworskich i ludowych, grali w karczmach i na weselach — zarówno żydowskich, jak i polskich. Byli samoukami, nie znali nut, zachwyt budzili mistrzowską grą. Byli też klezmerzy, którzy stawali się sensacją pałaców i wielkich estrad. Takim był Józef Michał Guzików (1806—1837), wirtuoz gry na harmonijce słomianej, prototypie dzisiejszego ksylofonu. Jego grą zachwycali się najwybitniejsi muzycy epoki, m. in. Karol Lipiński, Fryderyk Chopin, Feliks Mendelssohn-Bartholdy, Ferdynand David, Franciszek Liszt, a także George Sand i Lamartine. Uważał się za polskiego Żyda, chociaż pochodził ze Szkłowa na Białorusi. Grywał opracowane przez siebie fantazje na tematy polskie — mazury, polonezy, ludowe melodie polskie, białoruskie i żydowskie. Jego gra na jarmarkach i warszawskich podwórkach zawiodła go na wielkie estrady Europy, aż po Operę Paryską. Pisała o nim obszernie ówczesna prasa polska, niemiecka, francuska. Dziś figuruje we wszystkich muzycznych encyklopediach świata. Zafascynowanie brzmieniem jego dziwnego instrumentu spowodowało wprowadzenie go do orkiestry symfonicznej pod nazwą ksylofonu.

Guzików nie był wyjątkiem, jak wyjątkiem nie był Jankiel z *Pana Tadeusza,* postać, której prototypem był Mordko (Mordechaj) Fajerman (1810—1880), cymbalista, niezrównany wykonawca mazurów i polonezów, postać ongiś w Warszawie bardzo popularna.

Niejednokrotnie na grze niektórych klezmerów wzorowali się wybitni zawodowi muzycy. Talent i mistrzostwo tych ludowych grajków było swojego rodzaju fenomenem, toteż magnaci chętnie zatrudniali ich w swoich dworskich orkiestrach, gdzie koncertowali do słuchu i przygrywali do zabaw i tańców. Józef Elsner, kompozytor polski początków XIX w., dyrektor Opery Warszawskiej, w 1805 roku w swojej korespondencji do „Allgemeine Musikalische Zeitung" w Lipsku pisał: „Muzykanci żydowscy grają poloneza w tak doskonałym duchu polskim, że im w tym nikt nie dorówna". Czeski kompozytor Franciszek Benda, który grał w żydowskiej kapeli, wspomina, że pewien ślepy Żyd Lebel „grał swoje dzikie tańce z niezwykłym polotem, porywająco pięknym tonem i olśniewającą, brawurową techniką". Sam Benda, podobnie zresztą jak i wielu innych skrzypków, m. in. słynny Leopold Auer, wspomina, że prawidłowego trzymania smyczka nauczył się w młodości od klezmerów.

Ośrodkami żydowskiej kultury muzycznej w Polsce były chóry. Jednym z nich był znakomity chór Wielkiej Synagogi na Tłomackiem, którym kierował wytrawny muzyk, kompozytor i aranżer, dyrygent, pedagog, autor popularnej żydowskiej encyklopedii muzycznej, syn szocheta (rzezaka) z Nasielska — Dawid Ajzensztadt (1890—1942). Pierwsze kroki stawiał w chórze znanego kantora z Nowego Dworu — Eliezera Boruchowicza, następnie śpiewał u boku słynnych kantorów Rygi, Wilna, Rostowa, Berlina, a od 1921 roku Warszawy. Chór Wielkiej Synagogi pod jego kierunkiem był ozdobą nie tylko każdego nabożeństwa, ale i wielu koncertów świeckich. Gdy w 1935 roku w Operze Warszawskiej miała się odbyć prapremiera opery włoskiego kompozytora (zresztą Żyda z pochodzenia), Lodovico Rocca *Dybuk*, do stolicy zawitał autor i w sobotę udał się do Wielkiej Synagogi, by posłuchać kantora i chóru. Chór Ajzensztadta tak niesłychanie zafascynował włoskiego kompozytora, że zażądał od dyrekcji Opery, by chór ten śpiewał w prologu i epilogu jego opery — co też się stało. Ajzensztadt był także utalentowanym kompozytorem, m. in. był autorem muzyki do dramatu Leiwika *Golem*, wystawionego w 1928 roku w Teatrze Polskim w Warszawie. Przez pewien czas Ajzensztadt prowadził również Chór Grossera — socjalistycznego Bundu. W getcie warszawskim był jednym z dyrygentów Żydowskiej Orkiestry Symfonicznej. Zginął w Treblince wraz ze swoją 21-letnią córką Marysią, śpiewaczką o pięknym głosie i niezwykłej muzykalności, nazywaną „słowikiem getta".

Znakomitych chórów żydowskich w Polsce w okresie międzywojennym było wiele, miało swój chór prawie każde miasto. Świetny był łódzki chór Hazomir, założony przez Gerszona Lewina, prowadzony przez wiele lat przez Icchaka Zaksa. Ambitny ten zespół własnymi siłami wystawił nawet operę Verdiego *Traviata*. Historycy kultury żydowskiej w Polsce słusznie uważają, że „w złotym łańcuchu" żydowskiej kultury muzycznej — powszechne śpiewanie było naturalną potrzebą.

Społeczność żydowska brała czynny udział w wielu formach życia muzycznego. Sale operowe i koncertowe były masowo odwiedzane przez Żydów. Ale społeczeństwo żydowskie korzystało także z imprez organizowanych przez lokalne Żydowskie Towarzystwa Muzyczne, które, jak np. w Warszawie, miały w pewnym okresie własną orkiestrę symfoniczną. Dawała ona koncerty m. in. w teatrze Nowości z udziałem znanych dyrygentów (np. z Wiednia Kurt Pohlen) i solistów (np. laureat konkursu chopinowskiego, niewidomy Żyd z Budapesztu Imre Ungar). W latach trzydziestych XX w. działał Żydowski Instytut Muzyczny, istniały żydowskie szkoły i kursy muzyczne, zespoły kameralne i orkiestry tak amatorskie, jak i zawodowe. Każdy teatr żydowski był zarazem teatrem muzycznym, zasilanym oryginalną twórczością żydowskich kompozytorów, m. in. Icchaka Szlosberga, Dawida Bajgelmana, Józefa Kamińskiego, Izraela Szejewicza, Henocha Kona.

Odrębną kartą historii jest udział Żydów w muzyce polskiej. W orkiestrach symfonicznych grało wielu instrumentalistów Żydów. Np. w Filharmonii Warszawskiej Paweł Kochański i jego brat Eli, znakomity wiolonczelista, wykładowca Konserwatorium Warszawskiego, Adam Furmański, trębacz, później także dyrygent, Grzegorz Piatigorski, sławny wiolonczelista, stałym akompaniatorem był Ludwik Urstein, nazywany „królem akompaniatorów". Zanim został dyrektorem i pierwszym dyrygentem, koncertmistrzem drugich skrzypiec był Grzegorz Fitelberg. Na wiolonczeli grali Daniel Czerniawski i Izydor Lewak. Po pierwszej wojnie światowej miejsce Pawła Kochańskiego zajął Mieczysław Fliederbaum, grający także w znakomitym Kwartecie Warszawskim, a obok niego w pierwszych skrzypcach grali m. in. Ludwik Holcman, Stanisław Dobrzyniec, Henryk Fiszman i Szymon Englender. Na miejscu Fitelberga zasiadł Jakub Surowicz, obok niego w drugich skrzypcach Józef Waghalter, Mieczysław Sztyglic oraz członek znanego warszawskiego rodu muzyków Jakub Szulc, brat znanego dyrygenta Bronisława. Na fagocie grał Leon Szulc. W altówkach zasiadał m. in. Paweł Ginzburg, ojciec czterech synów, także muzyków, z których trzech grało w tejże Filharmonii.

Altowiolistą był Henryk Szpilman — także znany ród muzyków — oraz zamordowany podczas okupacji Czesław Bem. Filarami grupy kontrabasów byli Józef Łabuszyński i Maksymilian Halpern. Znakomitym kotlistą był jeden z najlepszych w kraju perkusistów, ze wspomnianego wyżej rodu Szulców, Roman, którego wkrótce „skaptował" do prowadzonej przez siebie słynnej Bostońskiej Orkiestry Symfonicznej Sergiusz Kussewicki. Wielu z tych muzyków zginęło w getcie warszawskim, niektórzy, jak Szymon Englender, uratowali się w Związku Radzieckim.

Historia polskiej muzyki, szczególnie w dziedzinie dyrygentury, odnotowała zasługi wybitnego, światowej sławy dyrygenta, Grzegorza Fitelberga. Zasługi Fitelberga w propagowaniu muzyki polskiej na świecie są ogromne. Nazywano go nie bez powodu „ambasadorem muzyki polskiej". Każdy jego występ za granicą był związany z wykonaniem utworu polskiego. Szczególne zasługi położył w lansowaniu muzyki grupy „Młodej Polski", której był członkiem, a szczególnie mało wówczas znanego Karola Szymanowskiego i Mieczysława Karłowicza, którego nie dokończony z powodu tragicznej śmierci w Tatrach *Epizod na maskaradzie* dokończył, zinstrumentował i wykonał po raz pierwszy z orkiestrą. Muzyka Karola Szymanowskiego na estradach świata stała się znana dzięki stałemu włączaniu jej do repertuaru przez tak wybitnych wirtuozów, serdecznych przyjaciół kompozytora, jak Artur Rubinstein i Paweł Kochański. Jego dzieła, a także utwory innych kompozytorów polskich stale grali na estradach świata skrzypkowie Bronisław Huberman, Roman Totenberg, Henryk Szeryng, Ida Haendlówna, Bronisław Gimpel, pianiści Ignacy Friedman, Maurycy Rosenthal, Bolesław Kon i wielu innych. Jako znakomita wykonawczyni muzyki dawnej wsławiła się na świecie wielka klawesynistka Wanda Landowska. Pianiści starszego pokolenia, m. in. także Leopold Godowski, Stefan Askenaze, Mieczysław Horszowski w swojej światowej karierze nie zapominali nigdy o muzyce kraju, z którego pochodzili. Współczesne pokolenie polskich pianistów, m. in. Władysław Szpilman, Ryszard Bakst, Tadeusz Kerner są godnymi ich kontynuatorami.

Ważki też był wkład do muzyki polskiej kompozytorów Żydów i żydowskiego pochodzenia. Chociaż ich twórczość, jak zresztą wiele utworów kompozytorów przeszłości uległa zapomnieniu, w swojej epoce odegrali dużą rolę.

Wciąż żywe jest dzieło Henryka Wieniawskiego (1835—1880), wielkiego skrzypka-wirtuoza i kompozytora. Był synem lubelskiego lekarza Tobiasza Pietruszki, który przechodząc na katolicyzm przyjął imię Tadeusz i nazwisko Wieniawski, od przedmieścia Lublina — Wieniawy, gdzie mieszkał. Utwory Henryka Wieniawskiego znajdują się do dziś w repertuarze najwybitniejszych wirtuozów i cieszą się dużą popularnością. Brat Henryka, Józef — był mniej znanym kompozytorem, ale sławnym pianistą.

W drugiej poł. XIX w. dużą popularnością cieszył się w Warszawie Adam Mincheimer (Münchheimer, 1830—1904), kompozytor, dyrygent, po śmierci Moniuszki — dyrektor Opery Warszawskiej. Był autorem czterech oper: m. in. *Otton Łucznik* do libretta Jana Chęcińskiego, *Mazepa* wg J. Słowackiego. Jego opery poza Warszawą były grane w Poznaniu, we Lwowie, w Turynie. Wspólnie z Moniuszką napisał balet *Figle szatana*. Jest ponadto autorem licznych utworów orkiestrowych, suit, fantazji, pieśni solowych i chóralnych. Był współzałożycielem Warszawskiego Towarzystwa Muzycznego. Łączyła go przyjaźń z Moniuszką. Gdy zmarł twórca *Halki* — Mincheimer był głównym organizatorem jego pogrzebu, dyrygował orkiestrą, która grała przez niego skomponowany marsz żałobny. Zorganizował także kilka koncertów, z których dochód przeznaczono dla rodziny zmarłego kompozytora. Wznowił też po śmierci Moniuszki *Halkę* i przygotował nową premierę *Strasznego dworu*. Zajął się też uporządkowaniem prywatnego archiwum Moniuszki, przekazanego następnie Warszawskiemu Towarzystwu Muzycznemu.

Znanym w tym okresie kompozytorem i działaczem muzycznym był też Ludwik Grossman (1835—

1915), autor m. in. oper *Rybak z Palermo,* granej w Warszawie i w Paryżu, oraz *Duch wojewody,* która z dużym powodzeniem wystawiana była w Warszawie, Lwowie, Petersburgu, Wiedniu i Berlinie. Napisał też szereg utworów orkiestrowych, fortepianowych, pieśni. Do historii życia kulturalnego Warszawy zapisał się salon Grossmanów, gdzie odbywały się przyjęcia dla sław muzycznych, goszczących w Warszawie, połączone z atrakcyjnymi występami słynnych artystów. Bywali tu wybitni aktorzy, muzycy, malarze, pisarze, m. in. Bolesław Prus i Henryk Sienkiewicz, arystokraci i bogate mieszczaństwo. Gościła u Grossmanów Helena Modrzejewska, Piort Czajkowski, Antoni Rubinstein, Pablo Sarasate i wiele innych sław epoki. L. Grossman prowadził do spółki z Juliuszem Hermanem sklep i częściowo fabrykę fortepianów pod firmą „Herman i Grossman". Przy sklepie czynna była sala koncertowa, gdzie odbywały się imprezy muzyczne oraz popularne prelekcje i odczyty na tematy muzyczne. Przez pewien czas Grossman był także dyrektorem Opery Warszawskiej, był również jednym z założycieli Warszawskiego Towarzystwa Muzycznego, na czele którego stał Stanisław Moniuszko.

Bardzo popularnym w XIX w. był Gustaw Adolf Sonnenfeld (1837—1914), uważany za muzyka „na miarę Wiednia" i nazywany „polskim Offenbachem". Prowadził w Warszawie orkiestry taneczno-rozrywkowe, m. in. w Dolinie Szwajcarskiej. Tworzył, niekiedy pod pseudonimem Gustaw Adolfson, tańce, fantazje. Jest autorem siedmiu operetek, m. in. *Król reporterów, Majstrówka*; współpracował z Feliksem Szoberem, z którym skomponował uroczy wodewil *Podróż po Warszawie,* wystawiony w 1924 roku przez Leona Schillera. Jest autorem kilku oper oraz baletów *Meluzyna* i *Pan Twardowski.* Ten ostatni odniósł niesłychany sukces i był grany przez długie lata, osiągając tylko na scenie Opery Warszawskiej 560 przedstawień. Ten wspaniały sukces przyćmiło dzieło pod tym samym tytułem skomponowane w 1921 roku przez Ludomira Różyckiego. Kiedy Sonnenfeld zmarł, prasa warszawska pisała, że „wraz ze śmiercią Adolfa Sonnenfelda odeszła jakby cząstka dziewiętnastowiecznej Warszawy". Napisano też, że „zmarł w niedostatku".

Innym znakomitym twórcą lżejszej muzy był Leopold Lewandowski (1831—1896), skrzypek, kompozytor i dyrygent, najznakomitszy w Polsce twórca muzyki tanecznej XIX w., nazywany „polskim Straussem". Jest on autorem ponad 300 utworów. Szczególnie popularne były jego pełne temperamentu mazury, ogniste oberki, smętne kujawiaki i eleganckie polonezy. Polska nuta brzmiała także w jego licznych walcach kotylionowych, galopadach, kontredansach itd. Pisywał też utwory poważniejsze — melodie do sztuk teatralnych, baletów itp., utwory orkiestrowe, pieśni na sola i chór — z tych największą popularność zyskał mazur na chór męski *Hej, kto żyje.*

Znanym pianistą i kompozytorem na przełomie XIX i XX w. był Maurycy Moszkowski (1854—1925), twórca tzw. muzyki salonowej, autor m. in. grywanych do dziś *Tańców hiszpańskich.*

Wiek XX ma również do odnotowania kilku znaczących kompozytorów. Jest wśród nich pierwszy w Polsce dodekafonista Józef Koffler (1896—1944), Karol Rathaus (1891—1954), autor m. in. baletów *Ostatni Pierrot, Zakochany lew,* opery *Obca ziemia;* Szymon Laks (1901), działający w Paryżu, tak jak łodzianin Aleksander Tansman (1898), jeden z najwybitniejszych współczesnych kompozytorów, twórca muzyki symfonicznej, oratoriów, oper.

O wkładzie do polskiej muzyki i polskiej kultury muzycznej świadczą nie tylko czynni muzycy, ale także muzykolodzy i krytycy muzyczni. W tej dziedzinie pięknie zapisały się nazwiska muzykologów Józefa Wł. Reissa, Zofii Lissy, Alicji Simon; krytyków Maksymiliana Centnerszwera, Leopolda Blumentala, Cezarego Jellenty (Napoleona Hirszbanda), Menachema Kipnisa i innych. Osobno należy wspomnieć o Mateuszu Glińskim (Hercenstein, 1892—1976) kompozytorze, dyrygencie, pisarzu i krytyku muzycznym, założycielu i redaktorze wpływowego miesięcznika „Muzyka", który ukazywał się od 1924 roku do wybuchu wojny. Był on animatorem wielu inicjatyw muzycznych. Z jego inicjatywy w Międzynarodowym Towarzystwie Muzyki Współczesnej powołana została sekcja polska, której w latach 1924—1935 był wiceprezesem. Z jego też inicjatywy założone zostało Polskie Stowarzyszenie Krytyków Muzycznych, którego prezesem był od 1926 roku do wybuchu wojny. Z chwilą wybuchu drugiej wojny światowej z powodu „niearyjskiego" pochodzenia zmuszony był do opuszczenia kraju. Od 1957 roku mieszkał w Stanach Zjednoczonych, gdzie założył Towarzystwo im. Fryderyka Chopina i Międzynarodową Fundację Chopinowską, którymi do śmierci kierował.

Nie można też pominąć wybitnych mecenasów muzyki. Byli nimi jeszcze w XIX w. przedstawiciele żydowskiej plutokracji, m. in. Kronenbergowie, Toeplitzowie, Jan Bogumił Bloch i wielu innych, a przede wszystkim Aleksander Reichman, inicjator, organizator i realizator budowy Filharmonii Warszawskiej otwartej w 1901 roku. Przez kilka lat był jej dyrektorem. Był także założycielem, wydawcą i redaktorem czasopisma „Echo Muzyczne, Teatralne i Artystyczne".

Żydzi działali nie tylko w dziedzinie wielkiej muzyki — mieli też swój poważny udział w tym, co dziś nazywamy „przemysłem rozrywkowym". Trzeba podkreślić przy tym, że pionierem przemysłu fonograficznego w Polsce był Juliusz Feigenbaum, założyciel fabryki płyt gramofonowych „Syrena-Record".

Dla owego bardzo różnorodnego „przemysłu rozrywkowego", w tym dla licznych teatrzyków i lokali rozrywkowych, powstawała muzyka rozrywkowa. W tej dziedzinie spotykamy niemal wyłącznie kompozytorów i autorów tekstów — Żydów. Są nimi przynajmniej ci, których nazwiska są znane do dziś. Są wśród nich prekursorzy jazzu w Polsce, autorzy modnych w swoim czasie tańców i szlagierowych piosenek. Byli to kompozytorzy o niezwykłej inwencji i łatwości tworzenia. Większość kompozytorów muzyki rozrywkowej była zarazem dyrygentami swoich orkiestr. Do najpopularniejszych, znanych także z licznych nagrań płytowych należały orkiestry Henryka Golda, Artura Golda i Jerzego Petersburskiego, Zygmunta Karasińskiego i Szymona Kataszka, Freda Melodysty, Zygmunta Białostockiego, Ady Rosnera. One to nadawały ton muzyce lekkiej w Polsce, a ich kierownicy-kompozytorzy byli prekursorami nowych prądów lekkiej piosenki.

Henryk Gold urodził się w 1902 roku w rodzinie muzyków. Matka pochodziła z domu klezmerskiego Melodystów, ojciec Michał był pierwszym flecistą w Operze Warszawskiej, zmarł podczas przedstawienia opery *Carmen,* gdy Henryk miał 2 lata. Kształcił się u sławnego Stanisława Barcewicza, a gdy miał lat 17, grał już jako skrzypek w orkiestrze Filharmonii Warszawskiej. Następnie założył własną orkiestrę, z którą występował w modnych stołecznych lokalach — w Adrii, w Ziemiańskiej itp. Grywał też przed mikrofonami Polskiego Radia. Gdy wybuchła druga wojna światowa, udało mu się wyjechać do Związku Radzieckiego, gdzie spotkał Jerzego Petersburskiego. Z nim założył orkiestrę jazzowo-symfoniczną, która cieszyła się wielką popularnością. W Moskwie na jednym z ich koncertów obecnych było 35 tysięcy słuchaczy.

Jerzy Petersburski — cóż to był za ogromny talent! Ileż ten kompozytor (1897—1979), muzyk o gruntownym wykształceniu, absolwent konserwatoriów w Warszawie i Wiedniu, napisał piosenek i przebojów. Jego słynne *Tango Milonga* pod zmienionym tytułem *Donna Clara* stało się światowym szlagierem. W Stanach Zjednoczonych śpiewał je m. in. słynny Al Jolson. Jego piosenkę *Nie ja, nie ty...* pod francuskim tytułem *Amour disait follie* śpiewała Edith Piaf.

Fred Melodysta był świetnym wiolonczelistą i jazzbandzistą, jednym z prekursorów jazzu w Polsce. Pochodził ze starej rodziny muzyków. I on także był autorem licznych przebojów, ale przede wszystkim był znakomitym aranżerem.

Świetnym talentem w dziedzinie muzyki rozrywkowej był również Zygmunt Białostocki, którego piosenki, począwszy od słynnej *Rebeki,* śpiewała cała Polska. Przewyższał go może inwencją melodyczną Henryk Wars (Warszawski), kompozytor muzyki do wielu polskich filmów. Po wojnie Wars mieszkał w Ameryce, jak sam opowiadał, długo klepał biedę. Los uśmiechnął się do niego, kiedy napisał muzykę do filmu, którego bohaterem był delfin. Muzyka stała się szlagierem. Nagrano ją na płyty, piosenkę delfina Flippera śpiewały takie gwiazdy, jak Bing Crosby i Doris Day.

Sława tych muzyków była ulotna, tym niemniej stanowią oni ważną kartę w dziejach polskiej muzyki, której zasięg, chociaż często krótkotrwały, był w swojej epoce nie bez znaczenia. Natomiast wielkich mistrzów muzyki poważnej na skalę światową muzyka polska na trwałe zapisała w swoich dziejach.

MALARSTWO

Obecność Żydów polskich w malarstwie zadokumentowała się stosunkowo późno, bo dopiero w drugiej poł. XIX w. Złożone były przyczyny tego opóźnienia. Zakaz kanoniczny zawarty w pięcioksięgu Mojżesza i kilkakrotnie tam powtórzony (2,XX,4; 3,XXVI,1; 5,V,6) zabraniał Żydom tworzenia figuratywnych dzieł. „Nie czyń sobie obrazu rytego, ani żadnego podobieństwa tych rzeczy, które są na niebie wzgórę, i które na ziemi nisko, i które są w wodach pod ziemią" — tak powiedział Mojżeszowi Bóg Izraela na górze Horeb. Posłuszni temu prawu, Żydzi nader rzadko naruszali zakaz, a wyobraźnia artystyczna i talent plastyków żydowskich wypowiadać się mogły jedynie w postaci zdobnictwa roślinnego i symbolach wyrażonych w drewnie, metalu, haftach i kamiennych płaskorzeźbach. Jedynym wyjątkiem były lwy i sarny, które znajdujemy na starych przedmiotach związanych z kultem.

Oświecenie żydowskie — Haskala z dużym trudem torowało sobie drogę poprzez zapory przesądów, uprzedzeń i nieufności do świata istniejącego poza zamkniętą w swej odrębności żydowską wspólnotą religijną. Ale i świat istniejący na zewnątrz owej wspólnoty nasycony był również głęboko tradycyjnymi przesądami i uprzedzeniami, często pogardą dla Żydów, dziwnej, zamkniętej społeczności, mówiącej niezrozumiałym dla niego językiem, noszącej śmieszne cudzoziemskie stroje, pielęgnującej tajemnicze obyczaje, społeczności bliskiej, a jednak obcej i dalekiej. Niewidzialny mur, faktycznie otaczający żydowskie getta był dobrze strzeżony z obu stron.

Znamiennym fenomenem obecności pierwszych żydowskich malarzy w polskiej sztuce jest fakt, że tematycznie obrazy ich poświęcone były legendom i historii polskiej przeszłości narodowej lub tragicznym wydarzeniom walki zniewolonego przez carat narodu. Było to malarstwo na wskroś polskie i patriotyczne.

Nestor polskich malarzy pochodzenia żydowskiego Aleksander Lesser (1814—1884), warszawianin z pochodzenia, naukę zawodu zdobywał w Warszawie, Dreźnie i Monachium. Malował obrazy historyczne: *Wincenty Kadłubek piszący kronikę, Skarbek Habdank, Młody Bolesław, Obrona Trembowli.* Największą popularność przyniósł mu obraz *Pogrzeb pięciu ofiar poległych w 1861 roku*, przypominający manifestację zbliżenia polsko-żydowskiego z udziałem arcybiskupa Antoniego Fijałkowskiego, rabina Bera Meiselsa, kaznodziei Markusa Jastrowa i wybitnego działacza żydowskiego Izaaka Kramsztyka. Za namalowanie portretów królów polskich powołany został na członka Akademii Umiejętności w Krakowie.

Losy powstańców 1863 roku przedstawiał w swych obrazach Aleksander Sochaczewski (1843—1923). Urodził się w Iłowie koło Łowicza. Studiował w Warszawskiej Szkole Rabinów. Jako 19-letni młodzieniec rozpoczął naukę w warszawskiej Szkole Sztuk Pięknych. Szkoły tej jednak nie ukończył, ponieważ za udział w polskich manifestacjach narodowych 1861 roku zesłany został na Sybir, gdzie jako katorżnik spędził ponad 20 lat. Po powrocie z zesłania osiadł w Wiedniu. Tam powstały jego liczne obrazy przedstawiające Sybiraków. W 1913 roku, w pięćdziesiątą rocznicę powstania styczniowego wystawił we Lwowie 126 płócien, na których wyraził męczeństwo katorgi i cierpienia tęskniących do kraju zesłańców. Obrazy te podarował miastu, które udzieliło gościny wystawie.

Mniej dramatycznie ułożyły się artystyczne życiorysy malarzy Jana Rosena (1854—1936), Józefa (1839—1909) i Szymona Buchbinderów (1853—1908). Jan Rosen stał się znany jako batalista, jego najlepszy obraz to *Rewia na placu Saskim*. Józef Buchbinder po nauce w warszawskiej Szkole Sztuk Pięknych a następnie w Dreźnie, Monachium, Düsseldorfie i Paryżu edukację artystyczną zakończył pracując przez 6 lat w Akademii św. Łukasza w Rzymie. Malował portrety oraz sceny biblijne. Po powrocie do kraju był przez wiele lat redaktorem artystycznym „Tygodnika Ilustrowanego".

Jego młodszy o 14 lat brat Szymon był w latach 1879—1883 uczniem Jana Matejki — drugim po Maurycym Gottliebie studentem Żydem w krakowskiej Szkole Sztuk Pięknych. Malował kostiumowe sceny historyczne i portrety w stylu holenderskiego malarstwa XVII w. Do najlepszych jego dzieł zaliczyć należy obrazy *Zygmunt III w pracowni złotniczej*, *Błazen dworski*, *Młody Żyd w tałesie*, *Karciarze*.

Tych kilka pobieżnie skreślonych wizerunków artystów, pierwszych malarzy polskich wyrosłych w środowisku żydowskim, zasługuje na uzupełnienie ogólniejszą refleksją.

Posiadany przez nich talent, poparty hasłami żydowskiego oświecenia pozwolił im przekroczyć zaczarowany krąg zamkniętych dla nich dziedzin sztuki. Tematyka żydowska w zasadzie nie pojawiła się w ich twórczości, ponieważ nie budziła wówczas zainteresowania. Kolekcjonerzy, dla których tematyka żydowska powinna być z natury rzeczy emocjonalnie bliska, pojawili się w Polsce późno. Nie było paradoksem, że Józefowi Buchbinderowi udawało się dużo łatwiej sprzedać obraz przedstawiający scenę biblijną któremuś z warszawskich kościołów niż bratu jego Szymonowi znaleźć nabywcę dla obrazu *Młody Żyd w tałesie*.

Malarstwo, w którym na równi z elementami polskiego patriotyzmu znajdujemy uduchowione wizje scen opisanych w Nowym Testamencie, a także wizerunki znanych z literatury postaci żydowskich, prezentuje Maurycy (Mojżesz Dawid) Gottlieb (1856—1879).

Jan Matejko nazwał go po śmierci „malarzem wielkich nadziei". Umarł bowiem w 23 roku życia. Zostawił olśniewający rozległością tematyczną i głębią przeżycia dorobek.

Był synem zamożnego przedsiębiorcy naftowego w Drohobyczu. Rodzina Gottliebów była już w poważnym stopniu zasymilowana, czego dowodem, że ojciec posłał go na naukę do konwentu oo. bazylianów. Biograf Maurycego Mojżesz Waldman na podstawie zapisków własnych przyszłego mistrza pisał, że żaden przedmiot prócz historii nie zajmował go, siedział więc w „oślej ławce". Był zupełnie obojętny na kpiny i szyderstwa kolegów, wiedział bowiem, że jest najlepszym rysownikiem nie tylko w klasie, lecz w całym gimnazjum. Nauczyciel rysunków Sikora przekonał ojca Maurycego, gdy ten miał trzynaście lat, że wobec niezwykłych zdolności chłopca powinien zabrać go z gimnazjum i uczynić wszystko, by mógł poświęcić się malarstwu. W ten sposób Maurycy znalazł się w szkole rysunków Michała Godlewskiego we Lwowie.

W 1872 roku 16-letni Gottlieb ukończył naukę u Godlewskiego i wstąpił do Akademii Sztuk Pięknych w Wiedniu, gdzie podjął studia w zakresie modnego wówczas kierunku malarstwa historycznego. Listy, które wymieniał z siostrą Anną, wskazują, że coraz mocniej kształtowało się w nim poczucie przynależności do narodu polskiego, ugruntowane studiowaniem jego historii i coraz lepszym poznawaniem jego języka. Pisał z Wiednia do siostry: „Bardzo mi się podobała, wielką radość sprawiła mi Twoja miłość Ojczyzny. Kochaj ją dalej, abyś nie żyła jak niewolnica, tylko jak Polka kochająca Ojczyznę i wolność...".

W pierwszym roku studiów w Wiedniu zobaczył obraz Jana Matejki *Rejtan,* wystawiony w tamtejszym Belwederze. Wracał do niego wielokrotnie, godzinami kontemplował, na jego przykładzie zrozumiał sens malarstwa historycznego. Przybladły wówczas uroki wiedeńskiej akademii i splendory adepta „majsterszuli", zapragnął pracować u Matejki. W 1875 roku był już studentem II kursu krakowskiej Szkoły Sztuk Pięknych. W pracowni Matejki powstały jego pierwsze historyczne obrazy, m. in. *Przysięga Kościuszki w Krakowie, Kawalerowie inflanccy proszący o opiekę Zygmunta Augusta przeciw cesarzowi Ferdynandowi, Albrecht brandenburski odbierający inwestyturę od króla Zygmunta Starego* oraz szereg doskonałych portretów, m. in. *Portret własny w stroju szlachcica.*

Niedługo Gottlieb przebywał w Krakowie. U jego biografów czytamy, że pewien profesor i koledzy zmusili go antysemickim postępowaniem do opuszczenia szkoły, mimo że Matejko ujął się za nim jak ojciec. Opuścił Kraków, by powrócić do Wiednia. Jednakże stale podkreślał w listach swe uwielbienie dla Matejki, jako malarza i człowieka.

Świadomość moralnej krzywdy, jaka go spotkała w Krakowie, była głęboka. Być może, że ten epizod jego życia kazał mu pomyśleć o nieobecnej w jego twórczości tematyce żydowskiej.

W Monachium, dokąd przeniósł się z Wiednia, powstały znakomite jego obrazy: *Shylock i Jessyka, Autoportret* (Ahaswer), *Żyd w stroju arabskim, Staruszka w czepcu* i inne. Rozwinęła się i okrzepła w tym czasie jego indywidualność artystyczna.

Wyjazd do Rzymu, spotkanie z Matejką i Siemiradzkim zachęciły Gottlieba do podjęcia w swych obrazach idei pojednania Polaków z Żydami i ukazania jej korzeni na nowej, głębszej, bo ekumenicznej płaszczyźnie. Powstały wtedy obrazy *Chrystus w Kafarnaum, Chrystus w synagodze* oraz pełne dramatycznej ekspresji *Głowa Chrystusa* i *Ecce Homo.* Krytycy współcześni pisali: „*Chrystus* Gottlieba to postać zupełnie świeża, nie z wiary, ale z miłości, to ani Bóg, ani człowiek powszedni, to prorok biblijny, Hebrajczyk, przemawiający do Hebrajczyków i dla nich zrozumiały".

W dorobku artystycznym Maurycego Gottlieba znajduje się obraz o szczególnej wymowie. Jest nim *Pisarz Tory.* Na tle starego wnętrza bóżnicy modlą się Żydzi. Jest dzień najbardziej uroczystego święta wypełnionego modlitwą i postem. Skupione twarze wyrażają modlitewne zapamiętanie, zejście w głąb własnych dusz, z których emanuje niema prośba do Boga. Na pierwszym planie patriarchalny starzec, a obok niego młodzieniec o rysach Maurycego, zanurzony w smutnym zamyśleniu. Starzec trzyma na kolanach Torę, na sukience której młody mistrz, jak gdyby przeczuwając swą przedwczesną śmierć umieścił napis w języku hebrajskim: „Ofiara za zbawienie duszy Maurycego Gottlieba błogosławionej pamięci".

Druga generacja malarzy żydowskich w Polsce po Lesserze, Buchbinderach i Maurycym Gottliebie łatwiej i szybciej znajdowała w twórczości drogę do żydowskich motywów i tematów. Była już ich spora grupa. A oto garść informacji o niektórych z nich:

Samuel Hirszenberg (1865—1908) urodzony w Łodzi, studia malarskie odbywał w Krakowie i Monachium. Mając zaledwie 22 lata namalował pierwszy znaczący obraz — utrzymany w nastroju melancholii, charakterystycznym dla wielu jego późniejszych prac. Wśród znanych jego obrazów wymienić należy: *Żyd wieczny tułacz, Uriel Acosta, Młodzieńczy Spinoza, Święto w getcie.* Na wielu wystawach wrażenie wywołał jego *Golus* — monumentalna kompozycja, przedstawiająca Żydów uchodzących z miasta przed pogromem w mroźny zimowy dzień, z kroczącym na przedzie rabinem, trzymającym w ramionach Torę. Hirszenberg był jednym z pierwszych mistrzów w palestyńskiej szkole artystycznej Becalel. Zmarł w rok po przybyciu do Palestyny.

Leser Ury (1861—1931) urodził się w Międzychodzie (woj. poznańskie). Studia odbywał w Düsseldorfie, Brukseli, Paryżu. Pierwsze jego obrazy, głównie sceny rodzajowe utrzymane były w stylu akademickim. Pod wpływem francuskich impresjonistów odnalazł własny styl, malował krajobrazy i sceny z życia wielkich miast i temu gatunkowi malarstwa pozostał wierny do końca. Rzadko podejmował tematy biblijne. Dochodził do nich już jako dojrzały artysta. Pełne wyrazu są: *Przyjaźń Jonatana i Dawida, Eleazar i Rebeka przy studni*, tryptyk *Człowiek Adam i Ewa* oraz *Jeremiasz*. Szczytowym wyrazem jego artystycznych wypowiedzi na tematy biblijne to: *Mojżesz łamiący tablice z przykazaniami* oraz monumentalny obraz *Zburzenie Jerozolimy*.

Maurycy Trębacz (1861—1941) warszawianin, studia odbywał w Warszawie, Krakowie i Monachium. Jest autorem licznych obrazów rodzajowych ilustrujących życie codzienne ludu żydowskiego. Zginął zamordowany przez hitlerowców w getcie łódzkim jako osiemdziesięcioletni starzec. Podobnie jak Trębacz sceny z życia żydowskiego malowali Jakub Weinles znakomity portrecista i Leopold Pilichowski (1869—1933), twórca obrazów *Zaślubiny* i *Słuchaj Izraelu*.

Leon Bakst (1869—1924) rodem z Grodna rozpoczął od wielkich kompozycji malarskich. Sławę światową zdobył jednak jako twórca dekoracji i kostiumów teatralnych, m. in. do baletu *Szeherezada, Ognisty Ptak, Pietruszka*, w których umiał połączyć bogate tradycje Wschodu z tradycjami Zachodu. Krakowianin Artur Markowicz (1872—1934) i lwowianin Wilhelm Wachtel (1875—1942) sięgali chętnie do tematów żydowskich, podobnie jak pochodzący z Łodzi Zygmunt Landau (1900).

Wśród artystów drugiej generacji malarzy polskich żydowskiego pochodzenia wymienić należy również Leopolda Gottlieba (1883—1934). Był młodszym bratem Maurycego. Studia odbył w krakowskiej Akademii Sztuk Pięknych pod kierunkiem Jacka Malczewskiego, a następnie w Monachium, wreszcie w Paryżu. W czasie pierwszej wojny światowej odbył jako ochotnik służbę w Legionach Piłsudskiego. Z tego okresu pochodzi ok. 200 akwarel, na których Gottlieb sportretował wiele postaci legionistów. Akwarele te przekazał następnie muzeum przy szkole artystycznej Becalel w Jerozolimie, w której uczył krótko przed swą śmiercią.

Płynna jest linia rozgraniczenia pomiędzy generacją artystów urodzonych w ostatnim dziesięcioleciu XIX w. a generacją ich następców, artystów urodzonych w XX w. Zarówno jedni, jak i drudzy żyli i tworzyli w latach, kiedy słowo „Żyd" oznaczało deportację i śmierć. Ale zanim do tego doszło, żyli i tworzyli w latach przełomu i odchodzenia od romantycznej i postromantycznej historiozofii.

Na przełomie stulecia w Paryżu, który stał się stolicą sztuki, pojawili się przybysze z innych krajów, którzy w „szkole paryskiej" znaleźli zarówno środowisko, jak i atmosferę sprzyjającą ich poszukiwaniom. Byli wśród nich również Żydzi z Polski. Do najbardziej znanych należą: Ludwik Markus (Marcousis) i Henryk Berlewi.

Luis Marcousis — Ludwik Markus (1883—1941) urodzony w Warszawie, studiował początkowo w krakowskiej Akademii Sztuk Pięknych u Józefa Mehoffera, po czym wyjechał do Paryża. Związany początkowo z impresjonistami odnalazł następnie najbardziej mu odpowiadające środki wyrazu w kubizmie. Znaczącym wyrazem tego nowego stylu była jego *Wieża Eiffla*. W okresie międzywojennym nazwisko jego stało się sławne na całym świecie.

Henryk Berlewi (1894—1967), warszawianin, studia malarskie odbył w warszawskiej Szkole Sztuk Pięknych, a następnie w Antwerpii. Już w 1913 roku wystawił swe pierwsze prace w warszawskiej Zachęcie. Zajmował się tematyką żydowską. Po pierwszej wojnie światowej poświęcił się tzw. mechanoplastyce. W 1923 roku był członkiem awangardowej grupy Blok. Od roku 1928 mieszkał w Paryżu. Miał kilka wystaw w kraju, a ponadto w Paryżu, Londynie i Nowym Jorku.

Wyjątkowo barwna była droga życiowa Jecheskiela Dawida Kirschenbauma (1900—1954) ze Staszowa. Gdy miał 12 lat, malował szyldy w rodzinnym miasteczku. Następnie wyjechał do Niemiec, gdzie zarobkował jako karykaturzysta. Po wydarzeniach 1933 roku w Niemczech wyjechał do Paryża, gdzie zwrócił na siebie uwagę Georgesa Roualt. Pracował między innymi nad tematami biblijnymi, a jego prorocy przypominali sylwetki świętych malowanych przez El Greco. Dewizą jego twórczości była teza, że sztuka abstrakcyjna jest poezją malarstwa. W czasie wojny Niemcy wywieźli i zamordowali w jednym z obozów śmierci w Polsce jego żonę. Wyjątkowo plastyczna pamięć pozwoliła mu po wojnie na odtwarzanie krajobrazu, w którym się wychował, ludzi oraz scen zapamiętanych z czasów dzieciństwa. Obrazy jego z tego okresu owiane są głębokim smutkiem i tęsknotą za żydowskim światem, który był organicznie związany z krajobrazem polskich miasteczek i który bezpowrotnie zaginął.

W niepodległej Polsce duże skupiska żydowskich plastyków działały w Warszawie, Łodzi, Krakowie, Wilnie i Lwowie.

W Łodzi już 1918 roku powstała grupa plastyków i literatów, która przyjęła nazwę Jung Jidysz. Wydawali własne pismo. Należeli do niej m. in. Jankiel Adler (1895—1949), Henoch Barciński (1896—1939), Izaak Brauner (1887—1944), Pola Lindenfeldówna (1900), Ida Braunerówna (1891—1948). Inspiratorem grupy był poeta i grafik Mojżesz Broderson (1890—1956). Wybitną osobowością tej grupy był Jankiel Adler. Pochodził z Tuszyna koło Łodzi. Jako młody chłopiec odbywał praktykę u złotnika. Gdy miał 17 lat, otrzymał stanowisko grawera znaczków pocztowych w Serbii. Potem dopiero trafił do szkoły przemysłu artystycznego w Niemczech. W latach 1918—1920 przebywał w Łodzi, gdzie działał w grupie Jung Jidysz. W czasopiśmie grupy opublikował wiersz *Śpiewam modlitwę*, a także kilka swoich rysunków. W czasie ponownego pobytu w Niemczech zaprzyjaźnił się z Klee. W 1933 roku wystawiał swe prace w Nowym Jorku. W czasie drugiej wojny światowej był żołnierzem Polskich Sił Zbrojnych na Zachodzie. Jego pierwsze prace powstałe w Niemczech wyrażają dążenie do stworzenia oryginalnego stylu żydowskiego w sztuce. Monumentalne postaci, które potem malował, miały być archetypami Żydów polskich.

W Warszawie działało Żydowskie Towarzystwo Krzewienia Sztuk Pięknych. Zajmowało się m. in. organizowaniem wystaw. W 1921 roku otwarto wielką wystawę, w której uczestniczyli m. in. Henryk Berlewi, Abraham Guterman (1899—1941), Władysław Weintraub (1891—1942), Izrael Tykociński (1855—1939), Samuel Cygler (1898—1943), Stanisława Centnerszwerowa (1889—1943).

Znaczącą rolę w życiu artystycznym odegrał Bruno Schulz. Urodził się w 1892 roku w Drohobyczu. Studiował w Wiedniu i we Lwowie. Od 1924 roku do czerwca 1941 mieszkał w Drohobyczu, gdzie pracował jako nauczyciel rysunków w miejscowym gimnazjum. Tam też został zamordowany w 1942 roku. Znany i ceniony jest przede wszystkim jako pisarz, autor *Sklepów cynamonowych* (1934) i *Sanatorium pod klepsydrą* (1937). Sam ilustrował swe książki. Był znakomitym rysownikiem. Tematyka tych rysunków, podobnie jak i opowiadań, utrzymana była w konwencji marzenia sennego i deformacji.

Niezależnie od wymienionych grup, reprezentujących formalnie różne nurty, plastycy żydowscy uczestniczyli w ogólnopolskim życiu artystycznym, zarówno w Warszawie, jak i w większych miastach. Tak np. w powstałym w kręgu działalności profesora Tadeusza Pruszkowskiego Bractwie św. Łukasza tworzyli Jan Gotard i Eliasz Kanarek, a w Szkole Warszawskiej bracia Efraim i Menasze Seidenbeutlowie.

W żałobnej, 2-tomowej *Księdze pamięci* spisanej przez Józefa Sandla znajdujemy zespół biogramów zamordowanych przez hitlerowców plastyków żydowskich. Wykaz ten obejmuje kilkadziesiąt nazwisk artystów, z których wielu rozpoczynało dopiero okres artystycznego dojrzewania, a inni osiągnęli już pełnię dojrzałości artystycznej. Nie sposób jednak w tym krótkim zarysie powiedzieć o każdym z nich po kilka chociażby słów, a wymienić tylko wybranych — autorowi brak odwagi, wobec okrucieństwa śmierci, która zabrała ich wszystkich jednakowo.

W Polsce pierwszymi czasopismami żydowskimi były: wydawany przez Józefa Perla „Cir Neeman" (Wierny wysłannik, 1814), a przez Josefa Byka „Olath Szabat" (Dzień sobotni, 1817—1824), organ galicyjskich oświeceniowców (Maskilim). Od 1820 roku literat Szyman Kohen wydawał pismo „Bikkure haittim" (Krytyka czasu). W 1824 roku jednorazowo ukazał się we Lwowie rocznik „Hacefira" (Świt). Jednakże ośrodkiem prasy żydowskiej w Polsce stała się Warszawa.

Pierwszą próbą założenia w Warszawie gazety było wydane w 1813 roku pismo zatytułowane „Rikcug der Francojzn" (Odwrót Francuzów), tłumaczone z polskiego na żydowski, a zawierające relacje z wojen napoleońskich. W tym też roku grupa wileńskich Żydów zwróciła się do cara Aleksandra I z prośbą o zezwolenie na wydawanie gazety, ale sprawa upadła, ponieważ władze carskie zażądały zobowiązania, że gazeta nie będzie drukowała rzeczy „nieprzyzwoitych" (chodziło oczywiście o nieprawomyślne).

Dążenia do wydawania gazet żydowskich w języku polskim zaczęły się pojawiać na początku XIX w., co wiązało się z walką o równouprawnienie, jak również z pozycją ekonomiczną i polityczną Żydów, którzy zaczęli odgrywać znaczącą rolę w kraju. Zwłaszcza znaczna stosunkowo liczba Żydów warszawskich (w 1805 roku było ich 11 911) odczuwała brak własnego organu prasowego. Rozumiała to przede wszystkim inteligencja żydowska, a szczególnie środowiska zasymilowane, mimo że używały na co dzień języka polskiego i czytywały prasę polską, m. in. wydawaną przez drukarzy i wydawców Żydów, np. przez Natana Glücksberga „Gazetę Literacką" i czasopismo dla kobiet „Bronisława, czyli Pamiętnik Polek". Jakub Szacki twierdzi, że najpoczytniejszy w roku 1823 „Kurier Warszawski" osiągnął na owe czasy znaczny nakład 700 egzemplarzy, właśnie dzięki czytelnikom Żydom.

Inicjatywę wydania czasopisma dla Żydów podjął znany na terenie Warszawy działacz oświeceniowy Antoni Eisenbaum (1791—1852), absolwent liceum warszawskiego, dyrektor szkoły rabinów, autor artykułów publikowanych w obronie Żydów w polskich czasopismach. Cieszył się on poparciem sfer rządzących i na nie właśnie liczył, występując z projektem założenia gazety dla Żydów. Tygodnik założony i redagowany przez Eisenbauma nosił dwujęzyczny tytuł „Dostrzegacz Nadwiślański — Der Beobachter an der Weichsel", a przeznaczony był „ku szerzeniu oświaty pomiędzy ludem wyznania starozakonnego". Tygodnik był drukowany „pagina fracta" w dwu językach — polskim i żydowskim. Ów żydowski język „Dostrzegacza" był często krytykowany za to, że był to właściwie język niemiecki, drukowany hebrajskimi czcionkami. Krytyka ta tylko częściowo była słuszna, ponieważ ukształtowanie się języka żydowskiego (jidisz) przypadło na drugą połowę XIX w. Pisma tego ukazało się 44 numery: 5 — w 1823 i 39 — w 1824 roku. Przyczyną tak krótkiego żywota tego bądź co bądź bardzo interesującego tygodnika był brak dostatecznej ilości prenumeratorów. Był to periodyk pionierski. Wszedł do historii prasy polskiej, jako pierwsze w Warszawie czasopismo w języku polskim i żydowskim, redagowane przez Żyda i wydawane dla Żydów. Mimo niedostatków, „Dostrzegacz Nadwiślański" utorował drogę prasie żydowskiej w Polsce, a dziś stanowi bogate źródło wiedzy o wielu aspektach życia Żydów w Polsce i na świecie.

Po kilkuletniej przerwie, na przełomie 1830—1831 roku, w czasie powstania listopadowego, zaczęło ukazywać się czasopismo o tendencjach asymilatorskich i patriotycznych „Izraelita Polski". Wydano jednak tylko 16 numerów, wydrukowanych w Drukarni Państwowej w Warszawie. Niestety w czasie drugiej wojny światowej zaginęły wszystkie egzemplarze tego ważnego i interesującego — ze względu na swoje zaangażowanie w walkę o niepodległość Polski — pisma. Komplet posiadała m. in. Biblioteka Ordynacji Przeździeckich, całkowicie zniszczona przez hitlerowców.

Po stłumieniu powstania listopadowego, przez długie lata nie udało się założyć żydowskiego czasopisma. Podejmowane raz po raz próby, nie tylko zresztą w Warszawie, nie przynosiły oczekiwanych rezultatów. Jedną z nich było np. wystąpienie w grudniu 1857 roku Hilarego (Hilel) Nussbauma, Chaima Zeliga Słonimskiego, Jakuba Rotwanda i Jakuba Elsenberga do kuratora Okręgu Naukowego Warszawskiego — Muchanowa z prośbą o zezwolenie na wydawanie tygodnika „Izraelita", który miał być redagowany „w duchu religii i moralności, dostosowany do pojęć czasu i miejscowości". Argumentacja dotycząca potrzeby czasopisma i załączony szczegółowy konspekt nie przekonały ani urzędnika do spraw oświaty Żydów Leopolda Sumińskiego, ani cenzora, przechrzty Krystiana Czerskiera, którzy odmowę motywowali tym, że takie czasopismo byłoby szkodliwe, bo sprzyjałoby separacji Żydów od innych mieszkańców.

Wreszcie z inicjatywy grupy żydowskich intelektualistów, rzeczników asymiliacji (m. in. Henryka Toeplitza, Stanisław Kronenberga, braci Natanson, Fajansów), związanych z polskim ruchem niepodległościowym i przy gorącym poparciu wybitnego patrioty polskiego rabina Bera Meiselsa — został w Warszawie założony w połowie 1861 roku tygodnik „Jutrzenka — Tygodnik dla Izraelitów Polskich". Redaktorem był Daniel Neufeld (1814—1874), z zawodu nauczyciel, autor haseł judaistycznych dla Wielkiej Encyklopedii Orgelbranda.

Pierwszy numer „Jutrzenki" ukazał się 5 VII 1861 roku, ostatni 23 X 1863 roku — ogółem ukazało się 121 numerów. Tygodnik przestał się ukazywać na skutek aresztowania i zesłania w głąb Rosji jego redaktora D. Neufelda „zamieszanego" w sprawy powstania styczniowego 1863 roku. W aktach carskiej komisji śledczej nazwano go redaktorem „żydowskiej gazety rewolucyjnej — Jutrzenki". Ta rewolucyjność była zresztą bardzo zakamuflowana ze względu na ciągłe obawy przed carską cenzurą i ochraną. „Jutrzenka", z którą współpracowali Aleksander Kraushar, Jakub Adolf Cohn i inni, a także i nie-Żydzi, była od strony redakcyjnej znakomicie prowadzona, miała bogatą, wszechstronną treść, była wyrazem głębokiego i szczerego patriotyzmu Żydów polskich.

Założony w trzy lata później tygodnik „Izraelita", któremu już sądzone było przetrwać bez mała pół wieku, był kontynuacją „Jutrzenki" (tego pierwszego, liczącego się periodyku żydowskiego). Bodźcem do założenia tego tygodnika była potrzeba odparcia oszczerczej kampanii antysemickiej prowadzonej w piśmie „Rola". Temu przedsięwzięciu patronowało liberalne mieszczaństwo i burżuazja żydowska, odczuwające potrzebę posiadania własnego czasopisma. Na redaktora powołano Samuela Cwi Peltyna (1831—1896), przez pewien czas zarządzającego księgarnią Merzbacha, z zawodu nauczyciela języka hebrajskiego.

Pierwszy numer „Izraelity" ukazał się 8 IV 1866 roku. Wydawany był przez 47 lat, do 1912 roku. Po śmierci Peltyna pismo redagował Nachum Sokołów, po nim Izrael Leon Grosglik, Jakub Adolf Cohn, Henryk Lichtenbaum i Józef Wassercug (Wasowski). Jak pisze wybitny historyk Majer Bałaban — „Czterdzieści sześć tomów «Izraelity» to wielki kawał naszych dziejów politycznych, to obraz walki naszych ojców o prawa ludzkie i obywatelskie, które właśnie w tym czasie odbierano, przekreślając kawał po kawale równouprawnienie dawane Żydom w Polsce (1861—62) przez Wielopolskiego, by je w r. 1905 ponownie im oddać, dopuszczając ich do udziału w życiu politycznym Polski... (...) powinien historyk kultury, a także polityk dokładnie przestudiować to potężne dzieło, by z tego źródła (może nie zawsze czystego) poznać dzieje Żydów w Królestwie na przełomie liberalizmu i reakcji, asymilacji i syjonizmu". Bałaban pisał, że Wassercug-Wasowski, „wykończył to pismo tak pod względem ideowym, jak i materialnym", co naprawił jego następca Stanisław Mendelson. Niezaprzeczalny jest fakt, że roczniki „Izraelity" są zwierciadłem dziejów Żydów Warszawy i Królestwa. Tygodnik ten był ważną, pierwszą tego rodzaju w Polsce trybuną publicystyczną, z której na wiele, i to najbardziej drażliwych tematów wypowiadały się najbardziej aktywne jednostki społeczeństwa żydowskiego. „Izraelita" położył wielkie zasługi w dziedzinie zbliżenia pol-sko-żydowskiego, służył społeczeństwu polskiemu jako źródło informacji i poznania życia żydowskie-go, ich kultury, religii i obyczajowości. Sam fakt, że „Izraelita" w ciągu półwiecza był ze względu na język, jakim przemawiał do czytelnika, jedynym ogólnie dostępnym organem żydostwa polskiego — czyni z niego ważne i bodaj jedyne w swoim rodzaju źródło historyczne.

W okresie, gdy jeszcze ukazywała się „Jutrzenka", w 1862 roku znany uczony Chaim Zelig Sło-nimski (1810—1909), przybyły w 1838 roku z Białegostoku do Warszawy, założył w języku hebrajskim tygodnik „Hacefira" (Świt, Jutrzenka). Słonimski cieszył się wielkim poważaniem za-równo u inteligencji polskiej, jak i u władz. Wychowany w duchu religijnym, znał świetnie język polski, rosyjski i niemiecki, był wybitnym matematykiem, fizykiem, astronomem, autorem prac nau-kowych wydawanych w języku hebrajskim, jak *Mosde chochma* (Zasady nauki), *Kochba deszabit* (Ko-meta), *Toldat haszamaim* (Dzieje nieba) i wiele innych. Był także twórcą licznych wynalazków, m. in. udoskonalił wynalezioną przez swego teścia, Abrahama Sterna, maszynę rachunkową, wynalazł sposób przekazywania 4 telegramów na jednym przewodzie.

Charakter „Hacefiry" określił Słonimski w jej pierwszym numerze, podkreślając, że jego podsta-wowym dążeniem będzie „wprowadzenie młodzieży żydowskiej na tory wiedzy i oświetlenie drogi wszystkim tej wiedzy potrzebującym". Właściwe było to na ziemiach polskich, chociaż w języku hebrajskim, pierwsze czasopismo popularnonaukowe. „Hacefira" do 1931 roku ukazywała się jako dziennik. Poza ogromnym znaczeniem, jakie miało to pismo w szerzeniu wiedzy i oświaty, odegrało ono wybitną rolę w podnoszeniu poziomu edytorskiego innych czasopism hebrajskich, w tym również takich, które „Hacefirę" znacznie przewyższyły. Ukazywało się ich do wybuchu drugiej wojny światowej kilkadziesiąt. .

Pierwszym na ziemiach polskich czasopismem w języku żydowskim był założony przez Hilela Gladsz-terna tygodnik „Warszojer Jidisze Cajtung" (1867—1868). Ukazało się tego czasopisma zaledwie 50 nu-merów. Jego likwidacja nastąpiła z powodu braku środków finansowych. Odegrało ono jednak ważną rolę jako pierwsza na ziemiach polskich gazeta wydawana w języku jidisz. Znaczenie tego tygodnika polega jeszcze na tym, że mimo niewielkiego nakładu czasopismo Gladszterna stworzyło nawyk czytania po żydowsku, a nawet pewien styl nowoczesnej publicystyki żydowskiej.

Koniec XIX i pocz. XX w. miały w dziejach prasy żydowskiej w Polsce znaczenie przełomowe. Rozwijające się wszelkiego rodzaju formy żydowskiego życia społecznego, powstawanie nowych nurtów ideowych, a tym samym wyodrębnianie się ugrupowań i partii politycznych, coraz większy udział przedstawicieli żydostwa w organach samorządowych i parlamentarnych, walka o „duszę" społeczeństwa — rodziły dla najbardziej aktywnych środowisk i jednostek poważny problem do-tarcia do mas. W tym też czasie rozwijała się technika przekazu, drukarstwo, aparat prasowy, nowo-czesne formy aktywności publicystycznej. Ponadto rozwój wydarzeń historycznych na przełomie stuleci rodził coraz większą potrzebę rzetelnej i rzeczowej informacji, głosu publicysty i przywódcy ideowego. Jednakże w warunkach carskiego reżimu powoływanie przez Żydów nowych czasopism nie było łatwe. Łatwiej im było pisywać do prasy polskiej.

Pragnąc jednak te trudności pokonywać, pisarze i publicyści żydowscy początkowo wydawali tzw. zbiory, będące zakamuflowaną formą czasopism, chociaż wydawanych okazjonalnie, a nie perio-dycznie. Szczególną aktywność w tej dziedzinie przejawił I. L. Perec, który z okazji świąt wydawał potocznie nazywane „Perec-błetełech" (Gazetki Pereca) lub „Jom-tow błetełech" (Gazetki świątecz-ne). Wydano ich w latach 1862—1915 ponad 840, w tym z inicjatywy Pereca 300. Na łamach tych gazetek pisywali tak wybitni literaci, jak Sz. Asz, D. Piński, E Kaganowski, A. Rajzen, J. Mastbojm i wielu innych.

Pod koniec XIX w., a mianowicie 1 stycznia 1899 roku Chona Rawnicki rozpoczął w Krakowie wydawanie dwutygodnika „dla spraw żydowskich" — „Der Jud", przekształconego wkrótce na tygodnik. Pismo, przeniesione po pewnym czasie do Warszawy, ukazywało się do 1903 roku.

Wkrótce po tym jeden z najbardziej aktywnych w dziejach żydowskiej prasy dziennikarzy Mordechaj Spektor wraz z Chaimem Dawidem Hurwitzem założył tygodnik „Jidisze Fołks-Cajtung" (Żydowska gazeta ludowa). Zaczął się także aktywizować socjalistyczny Bund, który w ostatnich latach XIX w. wydawał: „Jidiszer Arbajter" (Żydowski robotnik), „Arbajter Sztyme" (Głos robotnika) i kilka krótkotrwałych gazet. Do ważniejszych należał już w początkach XX w. wydawany w Wilnie „Der Weker" (Pobudka, 1905), w Warszawie „Di Sztyme fun Bund" (Głos Bundu, 1909—1910) i wreszcie tygodnik „Lebens-Fragen" (Problemy życia, 1916—1920), redagowany początkowo przez Włodzimierza Medema.

Pierwszym mieszczańskim dziennikiem żydowskim był wydawany w latach 1905—1907 „Der Weg" (Droga). Krótko ukazywał się „Der Telegraf" (1905—06, 164 numery), podobnie jak i tygodnik „Frajtag" (Piątek). Prototypem nowoczesnego, dużego dziennika był wydawany przez Saula Hochberga „Unzer Leben" (Nasze życie, 1907—1912), redagowany przez wybitnych dziennikarzy i organizatorów prasy żydowskiej M. Spektora i Cwi Pryłuckiego. Do dwóch wielkich dzienników żydowskich, którym sądzone już było przetrwać do ostatnich dni września 1939 roku należały „Hajnt" (Dziś), założony w 1908 roku i „Der Moment" (Chwila), założony w 1910 roku.

Do wybuchu pierwszej wojny światowej ukazywało się też sporo periodyków w języku żydowskim, m. in. czasopisma o charakterze literacko-kulturalnym, jak „Roman-Cajtung" (Gazeta powieści, 1907—08), „Teater-Welt" (Świat teatru, 1908); „Der Sztrahl" (Promień, 1910—11), „Di Jidisze Woch" (Żydowski tydzień, 1912—13), syjonistyczny „Dos Jidisze Fołk" (Naród żydowski, 1913—17) i wiele innych, w tym czasopisma humorystyczne, religijne, specjalistyczne, jak np. „Der Hojz Doktor" (Lekarz domowy, 1912—1914).

Mniejsze znaczenie w tym okresie miały gazety i czasopisma żydowskie wydawane w języku polskim, jako że ich potencjalną konkurencją była prasa polska. Niektóre gazety, jak np. wydawana przez Rudolfa Okręta „Gazeta Handlowa" (1864—1905), później zastąpiona przez dziennik redagowany przez Stanisława Kempnera — „Nowa Gazeta" (1906—1918, nazywająca się przez pewien czas „Ludzkość"), były tak skrajnie asymilatorskie, że trudno je nazwać żydowskimi. Był takim natomiast „Dziennik polityczny, społeczny i literacki — Przegląd Codzienny" (1913—14), redagowany przez Stanisław Mendelsona.

Jak już wspomniano, mniejszy zasięg miało żydowskie czasopiśmiennictwo periodyczne w języku polskim, ponieważ inteligencja żydowska czytała polskie czasopisma, często wydawane zresztą przez Żydów — Orgelbrandów, Glücksbergów, Ungera, Lewentala. Tym niemniej ukazywały się takie czasopisma, jak „Głos Żydowski" i „Życie Żydowskie" (1906, 1917—18) oba o zabarwieniu syjonistycznym, posiadające współpracowników, którzy w okresie międzywojennym w prasie żydowskiej odegrali znaczną rolę, jak Icchak Grünbaum, Nachum Sokołów, Samuel Hirszhorn, Jakub Appenszlak, Natan Szwalbe, Jehoszua Gotlieb, Dawid Hirsz Nomberg, Saul Wagman, Noe Pryłucki i wielu innych. Stefan Lubliner i Jan Ruff wydawali „Pismo Młodzieży Polskiej Pochodzenia Żydowskiego — Żagiew" (1916—1920), opierające swoją działalność na krzewieniu tradycji patriotycznych wśród Żydów polskich i idei całkowitego spolonizowania młodzieży żydowskiej wyznania mojżeszowego. Zwrócić także należy uwagę na wydawany przez Dawida Kandla „Kwartalnik poświęcony badaniu przeszłości Żydów w Polsce" (1912—13), na łamach którego publikowali swoje prace także Polacy.

Odzyskanie przez Polskę niepodległości jesienią 1918 roku wyzwoliło ogromną inicjatywę wydawniczą nie tylko prasy polskiej, ale także wydawanej przez Żydów w języku żydowskim, hebrajskim i polskim. Należy przy tym przypomnieć, że „obywateli wyznania mojżeszowego" w Polsce wg spisu ludności z 1921 roku było ponad 2,8 miliona, co stanowiło ok. 10,4% ludności kraju. O rozwoju prasy żydowskiej w Polsce decydował duży odsetek ludności żydowskiej skupionej w miastach, przede wszystkim w Warszawie, gdzie w 1921 roku było jej 310 tysięcy, tj. 33,1%, czyli 11% całej żydowskiej ludności Polski, w tym element najbardziej aktywny politycznie, społecznie, gospodarczo i kulturalnie. Te właśnie środowiska żydowskie od razu po wojnie przystąpiły z dużą energią do zakładania lub przestawiania na nowe tory istniejących uprzednio dzienników i czasopism.

Warszawska prasa żydowska uważana za ogólnopolską dysponowała najpewniejszym zespołem dziennikarskim i organizacyjnym, nowoczesną techniką poligraficzną i odpowiednimi środkami finansowymi. Jej oddziaływanie sięgało daleko poza granice kraju, do licznych skupisk żydowskich na świecie.

Wybuch pierwszej wojny światowej w 1914 roku zakłócił działalność prasy żydowskiej. Przestały się ukazywać czasopisma i dzienniki. Wojnę przetrwały jedynie dwa wielkie dzienniki warszawskie, wspomniane już wyżej „Hajnt" i „Moment".

Pierwszy numer „Hajntu" ukazał się 22 stycznia 1908 roku. Dziennik ten, założony przez Samuela Jakuba Jackana przy udziale świetnego dziennikarza Noacha Finkelsztajna i jego brata Nechemię, znanego, warszawskiego kupca, szybko zyskał dużą poczytność. Przyczyniło się do tego m. in. eksponowanie sensacji i różnorodność atrakcyjnej publicystyki. Uzyskawszy dobre warunki materialnej egzystencji, dziennik rozpoczął publikowanie poważnych materiałów politycznych, gospodarczych i społecznych. W niepodległej Polsce „Hajnt" stał się poważnym pismem reprezentującym interesy żydowskich warstw średnich. Pod względem politycznym dziennik ten stał na platformie lojalności wobec państwa, liberalizmu, a jak piszą jego historycy, „zajmując progresywne i demokratyczne stanowisko... trzymał się jasno nakreślonej syjonistyczno-demokratycznej i narodowej linii". Kierownictwo gazety spoczywające w rękach wybitnego działacza syjonistycznego Icchaka Grünbauma wyraźnie określało charakter tego dziennika. Prowadzono na jego łamach wiele atrakcyjnych działów, sporo miejsca poświęcano problemom przemysłu, handlu, kultury, drukowano powieści, przeważnie o zabarwieniu sensacyjnym, dawano cotygodniową kolumnę humoru, a przez pewien czas także dodatek ilustrowany. Dużo było ogłoszeń, nie tylko firm żydowskich. W razie ważnych wydarzeń wydawano po południu dodatki nadzwyczajne, a wydania prowincjonalne miały swoje mutacje. Przy wydawnictwie „Hajntu", które było kooperatywą „Alt-Naj" (Stare-Nowe), wydawano około 20 periodyków, m. in. od 1924 roku tygodnik „Handels-Cajtung" (Gazeta handlowa), który pod zmienioną nazwą „Handels-Welt" (Świat handlu) ukazywał się do wybuchu drugiej wojny światowej. Przez pewien czas wydawano także dzienniki w języku polskim „Nowe Słowo" (1924, 1931—32) i „Nowy Czas" (1929). Do czołowych publicystów „Hajntu" należeli Abraham Goldberg, Aaron Einhorn, Dawid Ben-Gurion, Włodzimierz Żabotyński, Bernard Singer (Regnis), Ozjasz Thon, Josef Leszczyński, Fiszel Rottenstreich i wielu innych.

„Hajnt", jak pisze Mosze Grossman, który podczas bombardowania Warszawy 22 września 1939 roku przedzierał się do ratusza z napisanym przez siebie niemal w całości dwustronicowym już numerem, by uzyskać stempelek cenzury — „zginął razem ze swoimi czytelnikami... właściwie jeszcze przed nimi..." Maszyny rotacyjne i inne urządzenia drukarni hitlerowcy wywieźli do Niemiec.

Wielu nazywało „Moment" drugim najpoważniejszym dziennikiem żydowskim. Różnił go od „Hajntu" nie tylko profil polityczny, był bowiem wydawany i redagowany przez fołkistów (ludowców), ale także sposób redagowania i nadmierne eksponowanie sensacji. Nie brak było jednak i w tym dzienniku poważnych publikacji. Dziennik ten był bardzo poczytny wśród Żydów, jego nakład przekraczał 100 tys. egzemplarzy, zamieszczał bardzo dużo ogłoszeń, także firm polskich. Właścicielami „Momentu", którego pierwszy numer ukazał się 5 listopada 1910 roku, byli Chaim Prużański, Eliazar Zylberberg, Magnus Kryński (właściciel i dyrektor znanego warszawskiego gimnazjum męskiego) i Cwi Pryłucki, którzy obok znakomitego pisarza Hilela Cajtlina i świetnego publicysty Mosze Justmana (podpisującego się także B. Juszzon lub Iczełe) byli właściwymi inspiratorami gazety. Wśród stałych współpracowników znajdowali się Izrael Zagorodzki, Noe Pryłucki, Mark Turkow, Salomon Biber, Ben-Zion Chilinowicz i wielu innych. Od 1924 roku przy „Momencie" wydawano popołudniówkę „Warszawer Radio" pod redakcją Salomona Jankowskiego. Stworzył on dla tego dziennika styl krótkich wiadomości o sensacyjnym charakterze, zwięzłych artykułów pisanych lekkim i przystępnym stylem. Ostatni numer „Momentu" ukazał się 23 września 1939 roku. Budynek redakcji został zbombardowany i spalony, ocalałe maszyny rotacyjne Niemcy rozebrali i wywieźli.

Mniejsze, ale również znaczne wpływy i sporą popularność w sferach religijnych miała prasa ortodoksyjna. W 1919 roku z inicjatywy sfer skupionych wokół słynnego rabina z Góry Kalwarii i organizacji politycznej Aguda założony został tygodnik „Der Jud" (Żyd), który już jako dziennik ukazywał się w Warszawie od grudnia 1920 roku. W 1929 roku dziennik zmienił nazwę na „Dos Jidisze Togbłat" (Dziennik żydowski) — określany oficjalnie, jako centralny organ Agudas Israel. Gazetę tę, która uważała się za „twierdzę żydostwa", cechował lojalizm wobec państwa. W dniach poprzedzających wybuch drugiej wojny światowej czołowy publicysta Hilel Zajdman wzywał do solidarnej z narodem polskim walki o wolność Waszą i Naszą, do aktywnego udziału w historycznej rozgrywce z barbarzyńskim hitleryzmem. Ostatni numer ukazał się 31 sierpnia 1939 roku.

Również o zasięgu ogólnokrajowym był popularny dziennik bezpartyjny, żywy, łatwy w czytaniu, nie stroniący od sensacji i pikanterii, założony 25 sierpnia 1926 roku „Warszawer Ekspress", po niespełna roku przemianowany na „Unzer Ekspress", osiągający nakład ok. 60 tysięcy egzemplarzy. Publikowano tu również, acz w formie przystępnej i zwięzłej sporo materiałów na tematy polityczne, społeczne, gospodarcze, międzynarodowe. Poczytnością cieszyły się na jego łamach „Polityczne gawędy" pisane przez Samuela Golde. „Ekspress" ukazywał się do 11 września 1939 roku.

Liczna też była prasa wydawana przez żydowskie partie robotnicze, związki zawodowe i lewicowe organizacje młodzieżowe. Zmarły w 1964 roku Izrael Szajn w bibliografii prasy żydowskiej wymienia kilkaset tytułów. W tym miejscu omówimy jedynie dwa najważniejsze dzienniki — organ Bundu — „Fołks-cajtung" oraz jednolitofrontowy „Frajnd".

Po odzyskaniu niepodległości w 1918 roku Bund zaczął wydawać tygodnik „Lebens-Fragen", przekształcony następnie na dziennik, zamknięty przez władze w 1920 roku. Przez kilka lat wydawana była spora liczba czasopism i krótkotrwałych dzienników Bundu, aż wreszcie na mocy oficjalnej koncesji założony został organ tej partii, tygodnik „Fołks-Cajtung", który 1 września 1922 roku przeistoczył się w dziennik, jako organ KC Bundu. Redagowany był kolegialnie przez czołowych działaczy tej organizacji, m. in. Włodzimierza Medema, Henryka Erlicha, Maurycego Orzecha, Zofię Dubnow-Erlich (M. Mstisławski), Josefa Chmurnera (J. Leszczyński), Józefa Jaszuńskiego i innych. Częste represje powodowały kilkakrotne zamknięcie gazety. Nowe koncesje przynosiły zmianę nazwy z dodatkiem „Unzer" lub „Naje Fołks-Cajtung". Przy tej gazecie wydawano szereg czasopism, m. in. „Forojs" (Naprzód, 1937—1939), „Bicher-Welt" (Świat książki, 1922—1929). Ostatni numer „Fołks-Cajtung" ukazał się 26 września 1939 roku.

Ze względu na konspiracyjną działalność Komunistyczna Partia Polski nie mogła wydawać legalnych czasopism, a tym bardziej dziennika. Jednakże grupy komunistów Żydów i ich sympatyków czyniły starania o wydawanie dziennika jednolitofrontowego z ich udziałem. Takim dziennikiem był ukazujący się w Warszawie od 20 kwietnia 1934 roku do 28 marca 1935 roku „Frajnd" (Przyjaciel). Pismo firmował zasłużony wydawca Borys Kleckin. Do kolegium redakcyjnego wchodzili m. in. Alter Kacyzne, Symcha Lew, Kadia Mołodowska, Bernard Mark, Dawid Sfard, Zeni Elbirt. Liczne konfiskaty, a wreszcie „rozszyfrowanie" przez cenzurę istoty dziennika zakończyły jego jedenastomiesięczny żywot.

Znaczną poczytnością cieszyły się periodyki, m. in. „Ilustrirte Woch" (1923—1928) z bogactwem materiału fotograficznego, „Unzer Welt" (1926), miesięcznik „Unzer Buch" (1925—26), miesięcznik „Globus" (1932—33), tygodnik „Literatur" (1935), postępowe czasopismo „Szryftn" (Pisma, 1936—38) oraz liczne periodyki poświęcone teatrowi, sztuce, wychowaniu, szkole, religii, medycynie,. czasopisma dla dzieci i młodzieży, a nawet matrymonialne. Spora była liczba ukazujących się w różnych okresach pism humorystycznych, spośród których na szczególną uwagę zasługuje „Der Blofer" (Blagier, 1926—1930), nie stroniące od aktualnej satyry politycznej, społecznej i obyczajowej. Ze względu na strukturę społeczną żydostwa duże znaczenie miała prasa poświęcona zagadnieniom handlu, przemysłu, rzemiosła i spółdzielczości. Do rzadszych należały pisma rolnicze, m. in. wydawany w 1937 roku organ Żydowskiego Towarzystwa Rolniczego „Land un Leben" (Kraj i życie). Wychodziły również czasopisma naukowe, jak „Historysze Szryftn" (Pisma historyczne 1929—1933), „Junger Historyker", zamieniony z czasem na „Bleter far Geszichte", redagowany przez Rafała Mahlera, Emanuela Ringelbluma i Jakuba Bermana, „Jedyjes" (Wiadomości), „Jidisze Filologie", „Natur un Kultur", „Der Doktor" i wiele innych.

W sumie, według orientacyjnych obliczeń, w ostatnich latach przed wybuchem drugiej wojny światowej ukazywało się jednocześnie ponad 200 tytułów, z tego 30 dzienników, o jednorazowym nakładzie 790 tysięcy egzemplarzy, z tego 600 tysięcy w języku żydowskim, 10 tysięcy w języku hebrajskim i 180 tysięcy w języku polskim. Stanowiło to (w stosunku do prasy polskiej) prawie 7% prasy wydawanej w kraju.

Czasopisma wydawane w języku hebrajskim miały ograniczony zasięg i stosunkowo niewielką liczbę odbiorców. Miały one na celu przede wszystkim kultywowanie języka Biblii, jednakże nie martwego, a rozwijającego się i wzbogacanego neologizmami współczesnej cywilizacji i techniki.

Odzyskanie przez Polskę niepodległości wywołało potrzebę założenia reprezentatywnego dziennika w języku polskim. Było to sprawą ważną zarówno ze względu na czytelników Żydów, używających na co dzień języka polskiego, jak i na potrzebę pewnego oddziaływania na czynniki oficjalne i społeczeństwo polskie. Jednym z pierwszych dzienników był założony w Krakowie „Nowy Dziennik", który ukazywał się do wybuchu drugiej wojny światowej, ostatni pod redakcją M. Kaufera. W 1919 roku powstała bardzo poczytna, o nakładzie 35 tysięcy egzemplarzy lwowska „Chwila", której ostatnim redaktorem był Henryk Hescheles.

Najważniejszą jednak rolę miała do odegrania prasa stołeczna. 10 stycznia 1919 roku ukazał się pierwszy numer „Kuriera Nowego", zawieszony 23 stycznia 1920 roku za drastyczne opisy zajść antyżydowskich. Po tygodniu ci sami ludzie rozpoczęli wydawanie nowej gazety — „Nasz Kurier" pod redakcją Szaji Lebenbauma. Dziennik ten zapowiadał się jako organ żydostwa polskiego bardzo interesująco, chociażby ze względu na tak znakomitych publicystów, jak np. Jakub Appenszlak, Jeremiasz Frenkel, Samuel Hirszhorn, Apolinary Hartglas, Mieczysław Centnerszwer, Stefan Karlin, Ignacy Schiper, Jakub Szacki, Daniel Rozencwajg, Saul Wagman. Żywot znakomicie redagowanego „Kuriera" nie był lekki. Trapiły go ustawiczne konfiskaty, widoczne w formie białych plam. 10 lutego 1923 roku dziennik przestał się ukazywać, a po paru tygodniach na jego miejsce pojawił się „Nasz Przegląd" z tą samą ekipą redaktorsko-publicystyczną. Ukazanie się tego dziennika, wprawdzie mieszczańskiego i o zabarwieniu syjonistycznym, było ważnym wydarzeniem nie tylko w życiu społecznym i kulturalnym Żydów w Polsce, ale także w dziejach prasy polskiej. Znakomicie, żywo i z dużą kulturą redagowane przez J. Appenszlaka, N. Szwalbego, S. Wagmana i D. Rozenc-wajga — pismo było ze względu na język czytane także przez środowiska polskie, często też cytowane w prasie krajowej, jako reprezentatywny organ żydowski. Gazeta zyskała szybko poczytność, a na-kład doszedł do ok. 50 tysięcy egzemplarzy. Ten liczący się, świetnie redagowany dziennik miał bogaty serwis informacyjny, urozmaicone formy, od lekkiego felietonu i reportażu po poważne prze-glądy polityczne i gospodarcze, a przede wszystkim bogaty dział kulturalny. Prowadził liczne działy oraz stałe dodatki, jak dla młodzieży „Mały Przegląd" redagowany przez Janusza Korczaka, „Nasz Przegląd Sportowy", „Nasz Przegląd Rozrywkowy" (brydż, szachy, szarady, krzyżówki, humor) oraz „Nasz Przegląd Ilustrowany". Ostatni, 262/8962 numer dziennika ukazał się 20 IX 1939 roku. W latach 1929—1932 przy „Naszym Przeglądzie" wydawano popołudniówkę „Nasz Głos Wie-czorny", która jednak nie wytrzymywała konkurencji polskiej popołudniowej prasy. Konkurencji „Naszego Przeglądu" nie wytrzymało kilka innych dzienników w języku polskim, jak „Dziennik Warszawski" (1927) i „Nowe Słowo" (1924, 1931—32).

Dużą poczytnością, osiągając nakład 50 tysięcy egzemplarzy, cieszył się do wybuchu wojny, założony 18 III 1931 roku przez E. Śpiewaka i redagowany przez R. Londona dziennik „5 Rano", lansujący sensacje — zdarzenia kryminalne, reportaże sądowe i mało ambitne powieści. Sprawom żydowskim gazeta ta poświęcała mało miejsca. Podobny charakter miał dziennik założony przez Samuela Jacka-na, którego obsesją było stworzenie popularnej gazety, lansującej dyskretnie zgodne i dobre współżycie Żydów i Polaków. W ten sposób powstała w 1929 roku gazeta „Ostatnie Wiado-mości", nie bez słuszności może przez bardziej ambitnych czytelników uważana za dziennik raczej „brukowy". Nie przeszkodziło to „Ostatnim Wiadomościom" osiągnąć ogromnego na owe czasy nakładu 150 tysięcy egzemplarzy.

Trudniejszy żywot miały żydowskie periodyki wydawane w języku polskim, z trudem wytrzymujące konkurencję czasopism polskich, chętnie i powszechnie czytywanych przez Żydów. Jednakże szereg czasopism się ukazywało. Do najbardziej godnych uwagi należy „Tygodnik społeczno-polityczny i literacki — Opinia", reprezentatywny dla tendencji i myśli żydowskiej elity intelektualnej. Jego pierwszy numer ukazał się 5 II 1933 roku, rozpoczynając swoją egzystencję, mimo szalejącego kry-zysu, na solidnej bazie materialnej, mając zasobnego patrona i wydawcę, zespół kooperatywy „Alt--Naj", wydającej m. in. dziennik „Hajnt". Redaktorem odpowiedzialnym był Mosze Indelman, a do komitetu redakcyjnego wchodzili m. in. Mosze Kleinbaum, Roman Brandstaedter, Abraham Insler. Pismo mimo wysokiego poziomu i elitarnego raczej charakteru osiągało wysoki nakład 25 tysięcy egzemplarzy. Ostatni numer „Opinii" (7/198), ukazał się 20 XII 1936 roku. Przyczynę zamknięcia tygodnika wspomina jeden z jego współpracowników, Chaim Finkelsztajn, pisząc m. in.: „Także i na «Opinię» przyszły czarne dni, ale nie z powodu trudności finansowych... Władze zamknęły «Opinię» z powodu druku pracy historycznej profesora Józefa Klauznera na temat Jezusa. Kiedy zaczęto robić starania o wznowienie tygodnika, przyszła odpowiedź, że jest to niemożliwe, ponieważ kardynał Kakowski wyraził niezadowolenie z publikacji prof. Klauznera w «Opinii», która została zamknięta na jego wyraźne żądanie".

Inne czasopisma wydawane w języku polskim nie utrzymywały się dłużej, jak na przykład „Echo Żydowskie" (1932—34), „Lektura" (1934), „Nasz Tygodnik" (1936), „Przekrój Tygodnia" (1935—36), „Ster" (1937—38), „Inwalida Żydowski" (wojenny, Kraków 1922—32), „Przegląd Społeczny" (1927—39 we Lwowie), „Nasza Jutrzenka" (młodzieżowe, 1921—39), „Rolnik Żydow-ski" (1933—39). Bardzo interesującym czasopismem był tygodnik kobiecy „Ewa" (1928—33), kie-rowany przez Paulinę Appenszlakową. Redagowany pod hasłem „wszystko i tylko o kobiecie" cie-szył się dużą poczytnością. Reprezentowany był na wystawie prasy w Kolonii w 1928 roku.

Dziedzinie historii, nauki, sztuki i życiu społecznemu Żydów były także poświęcone niektóre periodyki. Na czoło wysuwa się tu „Miesięcznik Żydowski" redagowany przez Zygmunta Ellenberga (1930—35). Bardzo krótko ukazywało się „Nowe Życie" (1924) wydawane przez Rafała Szereszowskiego i redagowane przez profesora Majera Bałabana, jego kontynuacją był miesięcznik „Naród" (1928—30). Do wybuchu drugiej wojny światowej przetrwał „Głos Gminy Żydowskiej" (zał. 1937).

Ogółem w latach 1918—1939 w języku polskim — w różnych okresach — ukazało się około 300 tytułów, z tego 19 dzienników, 153 periodyki społeczne, polityczne i literacko-kulturalne oraz zawodowe, 99 pism młodzieżowych i tyleż mniej więcej wydawnictw nieperiodycznych, dotyczących żydowskich instytucji i organizacji społecznych. Działała też w Polsce Żydowska Agencja Telegraficzna (ŻAT) znana również pod nazwą Jidisze Telegrafen Agentur (ITA) lub w języku angielskim Jewish Telegrafic Agency (JTA). Założycielem tej agencji i naczelnym jej redaktorem był znany dziennikarz i publicysta Mendel Mozes. Agencja ta (1920—4 IX 1939) wydawała „Biuletyn ŻAT" w języku polskim, żydowskim i angielskim obejmujący szeroki zakres informacji, dotyczących Żydów, nie „pokrytych" serwisem z innych źródeł lub agencji. ŻAT miała swoich korespondentów w wielu miastach Polski, a także za granicą. Z jej usług korzystała zarówno prasa żydowska, jak i polska, a na zasadzie wymiany Polska Agencja Telegraficzna (PAT) i liczne agencje zagraniczne. Mniejszy zakres działania miała funkcjonująca w latach 1936—39 Żydowska Agencja Gospodarcza (ŻAGos) — żydowska nazwa: Jidisze Wirtszafliche Agentur (IWAg), która również wydawała swój „Biuletyn". Wybuch wojny w 1939 roku położył kres prasie żydowskiej w Polsce. W pustkę tę wkroczyła żydowska prasa okupacyjna z legalną, wydawaną w Krakowie i obsługującą całą Generalną Gubernię „Gazetę Żydowską" (1940—42) i łódzką „Geto-cajtung", której ukazało się w 1941 roku 18 numerów. Jednakże reprezentatywne dla losów Żydów zamkniętych w gettach były czasopisma podziemne, których w latach 1940—43 ukazywało się około 70.

SZKOLNICTWO

Żydzi od wieków mówili o sobie, że są narodem księgi — Am Hasejfer. Nie tylko dlatego, że posiadali na zwojach spisaną Torę, księgę, jak wierzyli, zawierającą od Boga pochodzące zasady i przykazania swej religii, ale również dlatego, że posiadali znajomość czytania i pisania. Od wczesnej młodości wdrażano chłopcom czytanie i pamięciowe opanowanie Pięcioksięgu Mojżeszowego i pozostałych części żydowskiego Pisma Świętego. Tak powstał i z upływem wieków utrwalił się jako jeden z najstarszych na świecie system obowiązkowego powszechnego nauczania, realizujący zasadę jedności nauczania i religijnego wychowania.

Nauka była dwustopniowa, ale już uczniowie stopnia podstawowego (chederu) opanować mogli w stopniu wystarczającym znajomość czytania modlitw, tłumaczenia na język żydowski Pisma Świętego, a także umiejętność pisania w języku żydowskim.

System ten utrzymywał się przez stulecia w niezmienionej postaci i przetrwał jako obowiązujący ortodoksyjnie wierzącą społeczność żydowską do ostatnich dni II Rzeczpospolitej. Przetrwał zatem dłużej od systemów nauczania niektórych innych narodów jako swego rodzaju europejski skansen powszechnego, wyłącznie religijnego nauczania i wychowania młodzieży.

Wielowiekowy monopol szkoły religijnej był skutkiem przekonania przywódców — dzisiaj powiedzielibyśmy — ideologów gmin żydowskich, że ostoją żydostwa żyjącego w rozproszeniu (diaspora) jest jego całkowite odcięcie się od świata świeckiej myśli, bezwarunkowa wierność wszystkim ustalonym przed wiekami i coraz częściej nieżyciowym, sformalizowanym, a więc tylko dewocyjnym, zasadom postępowania.

Wszystkie ożywcze prądy i kierunki ideowe w środowisku żydowskim, począwszy od ostatnich dziesięcioleci XVIII w., za cel ważny, jeśli nie główny, stawiały obalenie lub co najmniej ograniczenie monopolu szkolnictwa religijnego. Myśl ta przyświecała Mojżeszowi Mendelsohnowi i plejadzie wyrosłych pod jego wpływem reformatorów, przenoszących z Berlina idee żydowskiego oświecenia — Haskali w ciemne zaułki żydowskie w miastach i miasteczkach Rzeczpospolitej rozdartej przez trzy mocarstwa zaborcze.

Ideą przewodnią Haskali było dążenie do obywatelskiego równouprawnienia Żydów. Środkiem mającym zapewnić równouprawnienie miało być wyemancypowanie się z kulturowego getta poprzez szkołę, nauczającą w języku kraju, w którym żyli, która mogła uczynić z nich ludzi przydatnych społecznie i zawodowo. A więc szkoła świecka dla Żydów.

Walka o świecką szkołę żydowską miała niejednolity przebieg na ziemiach poszczególnych zaborów. Jak znaczne było zainteresowanie młodzieży żydowskiej zaboru pruskiego możliwościami kształcenia w zakresie średniej szkoły świeckiej, świadczyć mogą niektóre cyfry. I tak w 1901 roku z kształcenia wyższego niż podstawowe korzystało w interesujących nas prowincjach pruskich: na Śląsku — 65,1%, na Pomorzu — 60,2% a w Poznańskiem — 50,1% uczącej się młodzieży żydowskiej, podczas gdy w tym samym czasie procent młodzieży chrześcijańskiej, uczęszczającej do szkół tego samego stopnia wynosił odpowiednio: 4,3%, 7,6%, 4,7%.

Obalenie monopolu szkolnictwa religijnego w wychowaniu młodzieży żydowskiej na ziemiach zaboru austriackiego, a więc w Galicji natrafiło na znacznie większe opory i zostało dokonane dopiero kilkadziesiąt lat później niż w zaborze pruskim. Monopolu tego nie złamały patenty oświeconego monarchy austriackiego cesarza Józefa II, chociaż przewidywały dotkliwe rygory wobec opornych i chociaż żarliwy rzecznik państwowych szkół żydowskich Herz Homberg, wychowanek i przyjaciel Mendelsohna czynił ogromne wysiłki, by idee cesarza urzeczywistnić. Masy ludności żydowskiej Galicji, żyjące na przełomie XVIII i XIX w. w skrajnej nędzy, nie rozumiały tolerancyjnej polityki Józefa II, znały jedynie jego urzędników podatkowych niemiłosiernie wyciskających świadczenia na rzecz państwa. Nie umiały też wyrwać się spod wpływu cadyków, absolutnej władzy sprawującej nad nimi „rząd dusz", wymuszającej ślepą uległość, a bezduszna biurokracja galicyjska nie była zdolna do bardziej elastycznej polityki oświatowej wobec pogardliwie przez nią traktowanej ludności żydowskiej. Plan narzucenia Żydom „odgórnie" oświaty świeckiej, bez rozbudzenia u nich samych potrzeby wydostania się z zamkniętego, pełnego przesądów kręgu izolacji załamał się już w 1806 roku.

Szkoły dla żydowskich chłopów, których patronem i orędownikiem był Herz Homberg, zostały zamknięte, a w ich miejsce pozwolono żydowskim gminom wyznaniowym na zakładanie szkół kahalnych.

Pierwsze takie szkoły uruchomione zostały w Tarnopolu (1813) i Brodach (1818). Szkoła w Tarnopolu miała cztery klasy, a nauczanie prowadzone było w języku niemieckim. Kahał w Brodach utworzył szkołę handlową o szeroko rozbudowanym programie nauczania, obejmującym obok przedmiotów podstawowych języki francuski i włoski, rysunki i towaroznawstwo. W pierwszym trzydziestoleciu XIX w. były to jedyne żydowskie szkoły świeckie w Galicji. Potem kahalne szkoły świeckie powstały w Krakowie, Lwowie i innych miastach.

Stopniowo, w drugiej połowie ubiegłego stulecia sytuacja zasadniczo się zmieniła. I tak np. jeśli w roku 1830 było we wszystkich galicyjskich szkołach podstawowych 408 dzieci żydowskich, to w roku 1900 było ich już ponad 110 tys. W 1867 roku było w gimnazjach galicyjskich ogółem 556 uczniów Żydów, to w roku 1910 było ich 6600, tj. 20% ogółu uczniów gimnazjalnych.

Trudne były drogi żydowskiego szkolnictwa świeckiego w zaborze rosyjskim. W 1820 roku udało się Jakubowi Tugendholdowi otworzyć w Warszawie, na zlecenie Rządowej Komisji Wyznań Religijnych i Oświaty Publicznej, trzy szkoły podstawowe dla dzieci żydowskich. Mieściły się one na Marszałkowskiej, na Lesznie i na Bugaju. Ćwierć wieku później upaństwowiono jedną z prywatnych szkół dla dziewcząt żydowskich. W pierwszych dziesięcioleciach XIX w. w szkołach tych uczyło się ogółem około 300 dzieci, pod koniec stulecia liczba uczących się wzrosła do 1000. Przyrost ten w zestawieniu z ogromnym powiększeniem się liczby żydowskich mieszkańców Warszawy był znikomy. Przyczyny tej niechęci do rządowych szkół żydowskich były podobne do tych, które towarzyszyły realizacji znacznie wcześniejszych edyktów oświatowych Józefa II w Galicji. Oświata świecka dekretowana odgórnie masom społecznie nie rozbudzonym, zamkniętym od wieków w kręgu średniowiecznej dogmatyki religijnej, nie budziła zaufania. Natomiast ciężar utrzymywania tych szkół spadał na żydowskiego podatnika, chociaż nie uznawał je za szkoły żydowskie. Niechęć do nich wzrosła szczególnie w latach 1823—1845, kiedy z programów nauczania usunięto język hebrajski, wprowadzając na jego miejsce naukę geometrii w zastosowaniu do rzemiosła.

W żydowskich szkołach podstawowych uczono: religii, języka polskiego, niemieckiego, rosyjskiego, arytmetyki z geometrią, kaligrafii, rysunku technicznego i śpiewu.

Dopiero w roku 1859 otwarto szkoły podstawowe dla dzieci żydowskich w: Piotrkowie, Włocławku, Płońsku i Kalwarii. Inne miasta jak Łowicz, Kutno, Gostynin, Skierniewice, Nieszawa, Chełm, Zamość, Radom, Siedlce, Kielce własnych szkół świeckich nie miały, chociaż zamieszkiwała je bardzo licznie ludność żydowska. Stosunkowo najwięcej rządowych szkół żydowskich było w guberni piotrkowskiej, gdzie w roku 1898 uczyło się ogółem 1 851 dzieci. W Płocku, w dwuklasowej szkole uczyło się w roku 1900 127 chłopców, a w takiej samej szkole żeńskiej 80 dziewcząt.

Jak nikłe były to cyfry, świadczyć może fakt, że w tym samym czasie w Warszawie w 200 chederach dla chłopców uczyło się ok. 12 tys. chłopców, a w 19 chederach dla dziewcząt ok. 1 200 uczennic. Jeżeli dane te zestawimy z danymi dotyczącymi zaboru pruskiego, to okaże się, że nauczanie chederowe straciło tam grunt dla dalszego istnienia w wyniku dążeń emancypacyjnych samych Żydów. Duży więc był dystans dzielący te dwie części dawnych ziem polskich. Dystans ten był jeszcze jednym dowodem, że poziom i charakter kultury społeczności żydowskiej, uwzględniając elementy specyficzne jej ówczesnej odrębności, był w wysokim stopniu zależny od wielu czynników, do których należy zaliczyć między innymi tradycyjne restrykcje polityczne i społeczne caratu wobec Żydów.

Obraz szkolnictwa żydowskiego w latach zaborów byłby niepełny, jeślibyśmy nie poświęcili uwagi szkołom rabinów. Było ich dwie, w Warszawie i Wilnie. Zajmiemy się tylko jedną z nich, Warszawską Szkołą Rabinów.

Jedyna żydowska szkoła średnia istniejąca na terenie Królestwa Kongresowego w latach 1826—1863 nosiła nazwę Szkoły Rabinów i wbrew swej nazwie była według ówczesnych opinii warszawskiego środowiska ortodoksyjnych Żydów szkołą świecką zwalczaną przez nich bardzo zaciekle. Obok przedmiotów teologicznych (Biblia, Talmud, *Miszna* wg Majmonidesa, Szulchan Aruch Józefa Karo, nauki moralne oparte na Biblii i Talmudzie, homiletyka) program szkoły obejmował naukę gramatyki języka hebrajskiego i polskiego, historię powszechną i historię Polski, geografię, matematykę, przyrodoznawstwo, a także języki obce: francuski, niemiecki i rosyjski. Lekcje przedmiotów ogólnych prowadzone były w języku polskim. Nauka trwała 5 lat.

Dobór przedmiotów nauczania wskazuje, że celem szkoły było kształcenie rabinów, kaznodziejów oraz nauczycieli dla podstawowych szkół żydowskich. Spośród 1 200 uczniów, którzy w ciągu 37 lat istnienia szkoły zasiadali w jej ławach, niewielu przeszło po jej ukończeniu do pracy nauczycielskiej, a tylko jeden został rabinem. Był nim Izaak Cylkow, który odbył dodatkowe studia na wydziale filozoficznym uniwersytetu berlińskiego i w tamtejszym żydowskim seminarium teologicznym. Był potem kaznodzieją Wielkiej Synagogi Warszawskiej i zasłynął jako tłumacz ksiąg Starego Testamentu na język polski.

W gimnazjach rosyjskich, a więc państwowych, obowiązywała w stosunku do Żydów norma procentowa. W gimnazjach prywatnych, gdzie w zasadzie nie było tych ograniczeń, kształciła się młodzież z zamożniejszych rodzin. W tych warunkach Warszawska Szkoła Rabinów uczyniła bardzo wiele w dziele ukształtowania nowej, świeckiej inteligencji żydowskiej.

Kiedy po pierwszej wojnie światowej Polska odzyskała niepodległość, w jej granicach znalazło się ok. 3 milionów obywateli wyznania mojżeszowego. Stanowili oni ponad 10% ludności.

Odrodzone w roku 1918 państwo polskie zagwarantowało Żydom pełne obywatelskie równouprawnienie, uzyskali oni prawa uznanej mniejszości narodowej.

Gwarancje te zawarte zostały w konstytucji, uchwalonej w marcu 1921 roku. Zapewniała ona wszystkim obywatelom równość wobec prawa, wolność sumienia, prawo pielęgnowania swej mowy, swobodnego wyznawania swej religii, a także zakładania własnym kosztem zakładów dobroczynnych, społecznych oraz szkół i innych zakładów wychowawczych.

W toku i w wyniku pierwszej wojny światowej nadwątlone zostały w dużym stopniu stare, konserwatywne formy życia żydowskiego. Pęd do zdobywania wiedzy świeckiej jako drogi wyzwalania się z kulturalnego getta charakterystyczny przedtem tylko dla Żydów mieszkających na ziemiach zaboru pruskiego oraz części Żydów Galicji, objął również Żydów, byłych poddanych cara rosyjskiego. Duży wpływ na przemiany te wywarły wykrystalizowane już wcześniej, ale rozwijające się szeroko dopiero w odrodzonej Polsce, ruchy społeczne wśród Żydów. Były one odbiciem różnic światopoglądowych pomiędzy lewicą a ugrupowaniami, które jednoznacznie widziały przyszłość żydostwa polskiego w jego udziale w budowie żydowskiej siedziby narodowej w Palestynie i przygotowaniu się do życia i pracy na ziemi przyszłego państwa żydowskiego.

Pomiędzy tymi krańcowymi płaszczyznami ideowymi, mającymi istotny wpływ na tworzenie organizacji szkolnych oraz na ich założenia wychowawcze i programy nauczania, reprezentowanymi przez Bund i syjonistów, były grupy pośrednie (oba skrzydła Poalej Syjon, Folkiści, Mizrachi). Poza tymi dwoma siłami politycznego oddziaływania w środowisku żydowskim, znajdowała się ciągle jeszcze ogromna masa ortodoksyjnie wierzących Żydów, politycznie amorficzna, niewolniczo przywiązana do różnych cadyków, zawdzięczających przywództwo nad masami nie tyle osobistym kwalifikacjom, ile rzeczywistym lub tylko domniemanym kwalifikacjom swych przodków. Jej od wieków tradycyjną i ciągle jeszcze działającą instytucją nauczania i wychowania młodzieży był cheder, z niedouczonym najczęściej mełamedem, a dla zdolnych do zawiłych spekulacji talmudycznych — jeszybot. Była jeszcze jedna siła, poważnie oddziaływująca na umysły młodzieży — komuniści. Ci jednak dość szybko zrezygnowali z koncepcji wychowania przez szkołę żydowską, ponieważ w państwie kapitalistycznym szkoła nie może być ośrodkiem wychowania socjalistycznego.

Stosunkowo duża, malejąca jednak w ciągu międzywojennego dwudziestolecia, część młodzieży żydowskiej, głównie w Małopolsce uczyła się w państwowych szkołach podstawowych i średnich.

Tych kilka informacji wyjaśnia sytuację i uwarunkowania, w jakich rozwinęło się i działało szkolnictwo żydowskie w latach 1918—1939. Są one niezbędne dla zrozumienia różnorodności szkół żydowskich, zarówno odnośnie języka nauczania, jak również założeń i celów wychowawczo-dydaktycznych. Owa różnorodność była odbiciem bogactwa życia społecznego i kulturalnego generacji Żydów żyjących w niepodległej Polsce, tych generacji, które mimo narastającej pauperyzacji ekonomicznej własnego środowiska i wystąpień antyżydowskich manifestowały różne formy walki o oblicze młodego pokolenia.

W zasadzie szkoły żydowskie były prywatne, chociaż duża ich część prowadzona była przez organizacje społeczne (towarzystwa), reprezentujące określone wyżej założenia i kierunki ideowo-wychowawcze. Status szkół prywatnych dawał im w najlepszym przypadku, po dopełnieniu różnych surowych wymagań i rygorów sprawdzanych uważnie przez władze szkolne, częściowe lub pełne prawa szkół publicznych, nie oznaczał jednak pomocy państwa lub władz samorządowych w ponoszeniu ciężarów ich utrzymania, które obciążały rodziców, a także amerykańsko-żydowskie instytucje charytatywne (Joint).

Tylko jedna szkoła żydowska była szkołą państwową. Było nią otwarte w październiku 1918 roku seminarium dla nauczycieli religii mojżeszowej, którego pierwszym dyrektorem był Samuel Poznański, kaznodzieja Wielkiej Synagogi Warszawskiej.

Społeczność żydowska, zdana na własne siły i środki w dziedzinie swego szkolnictwa, zorganizowała nauczanie dzieci i młodzieży w następujących grupach szkół:

Szkoły religijne. Ten typ szkół zachował do końca największą liczbę zakładów nauczania i uczniów. Do grupy tej należały prywatne chedery, których liczba nie była nigdy dokładnie stwierdzona, gdyż nie wszystkie były rejestrowane w ewidencji władz szkolnych. Szacunkowa liczba chłopców korzystających z nauki w tych szkołach przekraczała 40 tys. uczniów. Istniały również prywatne jeszyboty. Oprócz prywatnych szkół działały zakłady nauczania religijnego podporządkowane centralnym zarządom szkolnym, związanym bądź z ultrakonserwatywnym ugrupowaniem Agudas Israel, bądź bardziej postępowym, częściowo zlaicyzowanym ugrupowaniem Mizrachi. Agudas Israel podlegały dwa centralne zarządy szkół dla chłopców: Chorew w Warszawie (prezes rabin z Góry Kalwarii Abraham Mordechaj Alter) i Wilnie (prezes gaon wileński Chaim Ozer Grodzieński) oraz centrala szkół religijnych dla dziewcząt Bejt Jaakow z siedzibą w Krakowie (założycielką była Sara Schenirer). Wymienione centralne zarządy prowadziły w połowie lat trzydziestych łącznie 820 zakładów nauczania, w których uczyło się 109 tys. uczniów i uczennic.

Religijnych szkół średnich (jeszybotów) podległych centrali Chorew było w tym czasie 197, a uczyło się w nich 19 tys. uczniów.

Organizacją szkolną religijnego odłamu syjonistów — partii Mizrachi była centrala szkolna Jabne. Kierowała ona 220 szkołami podstawowymi (noszącymi najczęściej nazwę szkół Tachkemoni) i 3 szkołami średnimi. Prowadziła ponadto 2 seminaria rabiniczne oraz 4 jeszyboty. W szkołach Jabne przedmioty ogólne nauczane były w języku polskim, jedynie na kresach wschodnich w języku hebrajskim.

Do grupy szkół religijnych należały również szkoły gminne, finansowane przez gminy żydowskie. Było ich 58, np. w Warszawie — 20, a uczniów ogółem miały ponad 10 tys.

Szkoły świeckie. Jako kryterium odróżnienia ich od szkół religijnych może być umownie przyjęte stwierdzenie, jakie miejsce w programach tych szkół zajmowało nauczanie religii, a więc przedmiotu lub przedmiotów stanowiących rozwinięcie podstaw i dogmatyki religii żydowskiej. Jeżeli celem głównym szkoły było nauczanie przedmiotów, najogólniej zwanych świeckimi to była to szkoła świecka. Mogła ona w mniejszym lub większym stopniu uwzględniać elementy nauczania religii, nie stanowiły one jednak głównego założenia nauczania i wychowania szkolnego.

W grupie tej należy wymienić przede wszystkim szkoły należące do centrali szkolnictwa hebrajskiego Tarbut (Kultura). Ich bazą ideowo-społeczną były hasła rozwijane jeszcze przed pierwszą wojną światową przez ruch syjonistyczny, głoszące powrót do kultury i języka hebrajskiego. Wszystkie przedmioty z wyjątkiem języka polskiego i historii Polski nauczane były w języku hebrajskim, a zastosowana już w przedszkolach i początkowych klasach szkoły podstawowej metoda „iwrit baiwrit" (hebrajski po hebrajsku) zapewniała łatwe poznawanie hebrajskiego jako języka potocznego.

Zasługą szkolnictwa tarbutowskiego było przekształcenie martwego języka synagogi żydowskiej, języka pisma świętego, modlitw i psałterza w żywy język dnia codziennego. Uczono w szkołach Tarbutu pisma świętego nie dla religijnej analizy lub kontemplacji, lecz głównie jako tworzywa literackiego i bogatej bazy słownikowej potocznego języka.

Realizowana w tych szkołach zasada wychowania przez pracę wyrażała dążenie do oderwania młodzieży od tradycyjnego werbalizmu. Była też odbiciem tych idei, które swój pełny wyraz znalazły w ruchu chalucowym, romantycznym w swej istocie dążeniu do zagospodarowania własnymi rękami jałowych i pustynnych obszarów Palestyny jako ziemi przodków. Powrót na te ziemie odbudowane własnym trudem przywrócić miał Żydom poczucie godności ludzkiej, której odmawiano im w ciągu 2 tys. lat diaspory.

Centralne zarządy szkół Tarbutu zawiadywały 269 zakładami szkolnymi. Były wśród nich 73 przedszkola, 183 szkoły podstawowe, 9 średnich szkół ogólnokształcących, 4 seminaria pedagogiczne. W szkołach podstawowych uczyło się ogółem 34 tys., a w gimnazjach 2 700 uczniów.

Z całkowicie przeciwstawnych pozycji ideowo-społecznych czerpała swe założenia dydaktyczno-wychowawcze inna organizacja szkolnictwa świeckiego, nosząca nazwę Centralnej Organizacji Szkolnej, w skrócie — CISzO (Centrale Jidysze Szul Organizacje). Powstała w 1921 roku, w okresie wielkich nadziei na stworzenie w Polsce warunków umożliwiających rozwinięcie pod patronatem państwa żydowskiej autonomii kulturalnej. Widziała swe główne zadania w rozbudowie i pomnożeniu istniejących już szkół z językiem wykładowym jidysz, jako macierzystym językiem mas żydowskich. Jej twórcami, rzecznikami i obrońcami były partie polityczne żydowskiego świata pracy — Bund (Żydowska socjalistyczna partia robotnicza) i Poalej Syjon — lewica.

Z programów ideowych tych partii wywodziły się wytyczne dla prowadzonego w szkołach CISzO nauczania i wychowania młodzieży. Poza przywiązaniem do języka i kultury jidysz, z pominięciem nauki hebrajskiego (z wyjątkiem szkół, w których rodzice wyraźnie życzyli sobie nauki tego języka dla dzieci), wytyczne te głosiły, że szkoły CISzO opierać się będą na całkowicie nowoczesnych zasadach wychowania w kolektywie i przez kolektyw, przygotowując młodzież do samodzielnej pracy i życia w społeczeństwie wolnym od nacjonalizmu i przesądów wyznaniowych.

Szkoły CISzO były jedynymi w Polsce, nie tylko na gruncie szkolnictwa żydowskiego, szkołami całkowicie świeckimi. Ich programy nie przewidywały w ogóle nauczania religii. W klasie najniższej zastąpiono ją popularnymi pogadankami o powstaniu świata i życia na ziemi, a w klasach wyższych nauką o rozwoju społeczeństw, na przykładzie historii powszechnej, której elementem (nie głównym) była historia Żydów.

Szkoły należące do CISzO rekrutowały uczniów spośród dzieci robotników i rzemieślników, którzy częstokroć zalegali z opłatą miesięcznych składek „czesnego". Tylko duże zaangażowanie ideowe nauczycieli i wychowawców sprawiło, że umieli przetrwać przy pracy przez wiele tygodni bez pensji. Liczba młodzieży w szkołach CISzO dochodziła do 15 tys. Z liczby tej około 4 tys. to starsza młodzież szkół wieczorowych, a 650 to uczniowie dwóch gimnazjów w Wilnie i Białymstoku.

W grupie świeckich szkół żydowskich znalazło się również 16 zakładów szkolnych (przedszkola i szkoły podstawowe) prowadzonych przez Szulkult (centralną żydowską organizację szkolno-oświatową), z których korzystało ponad 2 300 uczniów. Część szkół prowadziła naukę w języku jidysz, inne były żydowsko-hebrajskie, prowadzące nauczanie w niższych klasach w jidysz, w wyższych zaś w hebrajskim.

W systemie szkolnictwa żydowskiego w Polsce szczególna rola przypadła polsko-hebrajskim szkołom średnim. Było ich 31. Zawiadywały nimi z reguły towarzystwa społeczne, wśród których największym poważaniem cieszył się Związek Zrzeszeń Społecznych.

Zarówno dobór wysoko kwalifikowanej kadry pedagogicznej, jak i stała dbałość o dobre wyniki nauczania zapewniły tym szkołom duże uznanie władz szkolnych i całkowite zaufanie rodziców.

Obraz szkolnictwa żydowskiego w okresie II-giej Rzeczpospolitej byłby jednostronny, gdybyśmy nie ukazali, jaki był udział uczniów żydowskich w państwowych i nieżydowskich szkołach podstawowych, średnich oraz na wyższych uczelniach.

W państwowych i samorządowych (miejskich) szkołach podstawowych wg danych z roku szkolnego 1934/35 uczyło się łącznie prawie 60% młodzieży żydowskiej, objętej obowiązkiem szkolnym.

W nieżydowskich szkołach średnich odsetek Żydów wynosił 18%, z liczby tej 10% przypadło na państwowe szkoły.

Na wyższych uczelniach dała się zauważyć tendencja spadkowa odsetka studentów żydowskich. Podczas gdy w roku akademickim 1924/25 odsetek ten wynosił 21,5%, to w dziesięć lat później wynosił już tylko niecałe 15%.

LATA OKUPACJI

Napaść na Polskę hitlerowskich Niemiec we wrześniu 1939 roku położyła kres bujnemu życiu kulturalnemu Żydów. Od pierwszych dni okupacji ponad trzy miliony Żydów polskich i Polaków żydowskiego pochodzenia zostało wciągniętych w tryby prześladowań. Hitlerowska doktryna i polityka okupanta zaplanowała eksterminację Żydów. Rozpoczęło się to od szkalującej Żydów propagandy, starającej się wykazać, że Żydzi w Polsce stanowili „element rozkładowy". Z publikacji hitlerowskiej gadzinówki w języku polskim — „Nowy Kurier Warszawski" — czytelnicy dowiadywali się, że liczni luminarze polskiego życia naukowego i kulturalnego byli Żydami lub żydowskiego pochodzenia. Owo „zażydzenie" gadzinówka „demaskowała" raz po raz, publikując nazwiska pisarzy i aktorów, których pochodzeniem nikt dotąd się nie interesował. Wymieniano takich aktorów, jak Karol Borowski, przypominając, że jego właściwe nazwisko brzmi Bilauer, Tadeusz Olsza (Blomberg), Michał Znicz, Stanisław Stanisławski (Bratman), Barbara Halska (Krakauer), Zofia Ternė, Aleksander Węgierko, reżyserów jak Stanisław Szeb, (Finkelsztajn), Henryk Szaro (Szapiro), Michał Waszyński (Waks) i inni. Wśród pisarzy i publicystów znaleźli się oczywiście Antoni Słonimski, Julian Tuwim, Anatol Stern, Jacek Frühling, Samuel Marschak, Konrad Wrzos, Mieczysław Grydzewski (Grützhendker) — redaktor „Wiadomości Literackich" i wielu innych. To był dopiero początek (grudzień 1939).

Sytuacja Żydów w gettach tworzonych przez hitlerowców na ziemiach polskich ma już bogatą literaturę. Były to twory, w których gehenna życia codziennego przekracza ludzką wyobraźnię. Włoczeni do gett ludzie, najczęściej wyrwani ze swoich środowisk, pozbawieni dorobku całego życia i możliwości wykonywania swego zawodu — co szczególnie boleśnie godziło w inteligencję, stawali w obliczu nędzy i głodu. Bardziej świadomi zaczęli wkrótce zdawać sobie sprawę, że getta są etapem do totalnej zagłady. Gett, nazywanych przez administrację hitlerowską „żydowską dzielnicą mieszkaniową" (Jüdische Wohnbezirk), na ziemiach polskich było początkowo dużo, w każdym niemal, nawet najmniejszym miasteczku. Stan taki nie odpowiadał hitlerowskim planom generalnego „rozwiązania" problemu żydowskiego, toteż zastosowano masowe przesiedlenia i koncentrację Żydów w największych gettach. W ten sposób w getcie warszawskim z czasem znalazło się ok. pół miliona ludzi z gęstością zaludnienia 120 tys. osób na jeden km², w getcie łódzkim 200 tys., a w getcie krakowskim ok. 70 tys. — żeby wymienić tylko największe getta.

Getta, odgrodzone od reszty miasta murem, zaczęto zakładać w drugiej poł. 1940 roku, a likwidować drogą totalnej eksterminacji w poł. 1942 roku. Jedynie getto łódzkie przetrwało do 1944 roku. W gettach byli więzieni nie tylko Żydzi polscy, ale także deportowani z innych krajów Europy, np. w getcie łódzkim znalazło się około 20 tys. Żydów z Niemiec, Austrii, Czechosłowacji, Luksemburga. W gettach znaleźli się też liczni Polacy, którym „udowodniono" żydowskie pochodzenie.

I chociaż głód, nędza, choroby i zbrodnie okupanta dziesiątkowały ludność gett, mimo to w murach getta istniało swoiste życie kulturalne. Szczególnie w okresie, kiedy eksterminacja ludności żydowskiej nie nabrała jeszcze swego potwornego rozmachu — działacze kultury, pisarze, naukowcy, artyści — próbowali, jakby na przekór losowi, organizować życie kulturalne. Może była to także swojego rodzaju forma oporu, może działanie, mające podtrzymać ducha i ułatwić przetrwanie z nadzieją na ewentualne ludzkie odruchy okupanta, lub może z wiarą na szybki koniec wojny. O krematoriach Treblinki, Majdanka, Oświęcimia i innych obozów zagłady w latach 1940—41 jeszcze się nie mówiło. W każdym razie, organizując liczne formy wegetacji materialnej, nie zaniedbano także życia duchowego. Możliwości jego kontynuowania w owych tragicznych i specyficznych warunkach były znaczne, ponieważ w murach gett znalazła się cała niemal inteligencja żydowska.

Początkowemu rozwojowi życia kulturalnego w gettach zdawały się sprzyjać, np. w 1941 roku, pozory stabilizacji i dążenia do umożliwienia chociaż części inteligencji powrotu do niedawna wykonywanych zawodów. Pomocą dla działaczy kultury w gettach i ludzi sztuki były działające tam instytucje opieki, jak na przykład Żydowska Samopomoc Społeczna czy Żydowski Komitet Opiekuńczy lub Żydowskie Towarzystwo Opieki Społecznej.

Dotkliwy cios szkolnictwu żydowskiemu zadali hitlerowcy na przełomie listopada i grudnia 1939 roku, kiedy zlikwidowali wszystkie szkoły żydowskie. W samej Warszawie kilkadziesiąt tysięcy dzieci i młodzieży pozostało bez szkół. Usilne interwencje prezesa Gminy Żydowskiej (Judenratu) inż. Adama Czerniakowa, który do wojny sam był znanym żydowskim działaczem oświatowym, przyczyniły się do uzyskania w połowie 1940 roku zezwolenia na zakładanie szkół podstawowych i kursów zawodowych. Podobne szkoły i kursy powstawały także w innych miastach, ale ich żywot był krótkotrwały na skutek ustawicznych szykan hitlerowców, nakazujących zamykanie to tej, to innej szkoły „ze względów sanitarnych". W Łodzi sytuacja była początkowo nieco lepsza. Z chwilą ustanowienia gett Gmina Żydowska przejęła 46 szkół różnego typu. Niektóre, nawet szkoły średnie, przetrwały do poł. 1941 roku. W getcie warszawskim w jego „najlepszym", początkowym okresie działało ok. 20 szkół prowadzonych przez różne organizacje świeckie i religijne, w tym jedna szkoła prowadzona przez „Caritas" dla dzieci rodzin ochrzczonych.

W zasadzie jednak szkolnictwo było domeną tajnego nauczania. Działało ono pod kierownictwem i przy wsparciu patronatów szkolnych, w ramach Komisji Porozumiewawczej stronnictw politycznych. Podstawowe tajne nauczanie odbywało się w różnego rodzaju schroniskach, świetlicach i kuchniach, działających przy placówkach opiekuńczych. Tajne nauczanie dzieci połączone było z pewnymi formami życia społecznego i kulturalnego, z organizowaniem imprez, akademii itp. Tajne żydowskie szkoły średnie rozpoczęły działalność, podobnie jak i polskie tajne komplety, jeszcze w końcu 1939 roku. Kierownictwo średnim tajnym nauczaniem sprawowane było na wzór analogicznego szkolnictwa „po stronie aryjskiej". W getcie na czele Koła Dyrektorów Szkół Żydowskich stał Mateusz Frenkel, do wojny właściciel i dyrektor znanego warszawskiego gimnazjum. Jak podaje Ruta Sakowska (*Ludzie w dzielnicy zamkniętej*, Warszawa 1975), na tajnych kompletach złożonych z 6—10 uczniów kształciło się w getcie warszawskim ok. tysiąca osób. Podobne formy tajnego nauczania istniały także w niektórych innych gettach. Językiem nauczania był język polski. Ze zrozumiałych względów z programu nauczania usunięto niektóre przedmioty, jak gimnastyka, śpiew, roboty ręczne. Uczący się na tajnych kompletach zdawali egzaminy, w tym także maturalne i otrzymywali świadectwa, zalegalizowane po wojnie przez Państwową Komisję Weryfikacyjną. Egzaminy dojrzałości zdało w getcie warszawskim 172 absolwentów.

W getcie warszawskim istniało także szkolnictwo zawodowe, ale jedyną stacjonarną szkołą była Szkoła Pielęgniarska przy szpitalu na Czystem. W połowie 1941 roku na kursach zawodowych kształciło się w getcie warszawskim 2454 słuchaczy. Na poziomie wyższym były kursy: techniczny, pedagogiczny i przysposobienia sanitarnego, miały one jednak stosunkowo niewielką liczbę słuchaczy. Najliczniejszy (1941 r. — 250 słuchaczy) i najdłużej działający był kurs przysposobienia sanitarnego do walki z epidemiami, którego inicjatorem był prof. dr Juliusz Zwiebaum, a wykładowcami prof. dr Ludwik Hirszfeld, dr Janusz Korczak, dr Mieczysław Centnerszwer, doc. dr Hilary Laks oraz wybitni, znani warszawscy lekarze, których w getcie było dużo. Z dziedziny historii żydowskiej służby zdrowia wykłady wygłaszał prof. dr Majer Bałaban. Po wojnie około 70 słuchaczy tych kursów zweryfikowało swoje dyplomy w Polsce Ludowej.

Obok działalności dydaktycznej w niektórych gettach prowadzone były również prace naukowo-badawcze. Na czoło wysuwa się tu działalność historyka dra Emanuela Ringelbluma, który w poł. 1940 roku zorganizował w getcie warszawskim podziemne archiwum pod kryptonimem Oneg Szabat (Radość sobotnia). Do współpracy dr Ringelblum przyciągnął sporą grupę historyków. Do archiwum tego zbierano wszystko, począwszy od ulotek, luźnych druków, ogłoszeń i obwieszczeń (także okupanta), listów urzędowych i prywatnych, aż po pisane w getcie dzieła literackie i naukowe. Zebrany materiał, w obliczu zagłady getta, zakopano w kilku miejscach (podobno w trzech). Dwa zespoły materiałów odnaleziono pod gruzami getta, jeden we wrześniu 1946 roku, drugi, po długotrwałych poszukiwaniach, w grudniu 1950 roku. Nie są to zapewne wszystkie zakopane materiały, ale i te, obecnie uporządkowane i skatalogowane, stanowią ogromne bogactwo dokumentalne tragicznych lat okupacji.

W Archiwum Ringelbluma — obok korespondencji, relacji, ankiet, sprawozdań, pamiętników itp. znalazły się też prace naukowo-badawcze, dotyczące wielu aspektów życia w getcie. Niektóre wyniki badań były rezultatem studiów nad wieloma problemami politycznymi, społecznymi, demograficznymi (w tym bogate materiały statystyczne), aprowizacyjnymi, kulturalnymi, zdrowotnymi. Owocem tych badań jest m. in. praca zbiorowa *Choroba głodowa*, która została wydana po wojnie w Warszawie, oraz wiele innych prac, w tym dotyczących np. życia religijnego, stosunków polsko-żydowskich itp. Chociaż wśród inteligencji żydowskiej w gettach znalazło się wielu pisarzy, poetów i dziennikarzy, nie mieli oni tu możliwości pracy, nie liczę imprez w rodzaju „Żywej Gazety". Jeżeli powstawały jakieś ważniejsze prace, zostały w rękopisach. Część z nich ocalało w zbiorach Archiwum Ringelbluma. Tak więc ostał się poemat Icchaka Kacenelsona (1866—1944) *Dzień mego wielkiego nieszczęścia*, opublikowany dopiero w 1980 roku w polskim przekładzie (z jidysz) Jerzego Ficowskiego czy też wiersze Władysława Szlengla (zm. 1943 r.) zawarte w zbiorze *Co czytałem umarłym* (wydane w zbiorze PIW, Warszawa 1977). W getcie warszawskim działali: Rachela Auerbach, Hilel Cajtlin, Jehoszua Gotlieb, Jehoszua Perle, Miriam Ulinower i wielu innych.

Działała też w getcie warszawskim grupa pisarzy lżejszego kalibru. Ich twórczość służyła scenkom i estradom kawiarenek, m. in. był to „Żywy Dziennik", program satyryczny kabaretu Kawiarni Sztuki prowadzony przez grupę literatów pod kierunkiem Władysława Szlengla przy współudziale poety i satyryka Leonida Fokszańskiego, Wacława Teitelbauma („Mecenas Wacuś") i Polę Braun.

W gettach zginęli poeci Maurycy Szymel, Jerzy Kamil Weintraub, Koren (dr Kornreich, krakowski adwokat i satyryk), Zuzanna Ginczanka i wielu innych.

Dziennikarze w gettach nie mieli pola do działania. Ukazująca się w Krakowie w języku polskim „Gazeta Żydowska" (VII—1940—VIII—1942), z przeznaczeniem dla całej Generalnej Guberni, posiadająca także oddział w Warszawie, wydawana była za zgodą, a może i z inspiracji władz hitlerowskich i w zasadzie służyła przekazywaniu oficjalnych zarządzeń okupanta. Choć nie tylko. Oficjalnie była organem Gmin Żydowskich (Judenratów), ale hitlerowcy pozostawiali jej pewien margines swobody — jeżeli chodzi o publicystykę, informacje na tematy religijne, literackie, historyczne i artystyczne, a nawet z życia codziennego, szczególnie wydarzeń w gettach Warszawy i Krakowa, i dlatego gazeta ta stanowi cenne, a w niektórych przypadkach jedyne źródło historyczne. Drukowano tu recenzje przedstawień teatralnych, koncertów, sprawozdania z różnych uroczystości, a także wiersze, opowiadania, okolicznościowe artykuły religijne itp. Jednakże ze względu na charakter tej gazety żydowscy dziennikarze, z małymi wyjątkami, odmawiali z nią współpracy.

Drugą legalną gazetą żydowską w okupowanej Polsce była wydawana w Łodzi w języku żydowskim „Geto Cajtung. Far Informacje, far Ordnungen un Bekantmachungen" (Gazeta Getta. Dla informacji, rozporządzeń i ogłoszeń). Był to oficjalny „organ przełożonego Starszeństwa Żydów" (był nim Chaim Rumkowski). Od 17 III do 21 IX 1941 ukazało się 18 numerów. Tu już brak było zupełnie jakiegokolwiek marginesu swobody publicystycznej. Ale w getcie łódzkim drukowano na hektografie „Biuletyn Kroniki Gettowej", który ukazywał się od 12 I 1941 do 30 VII 1944 (od września 1942 w języku niemieckim). Ten ważny dokument owych lat wydano po wojnie drukiem.

Żydowska prasa wydawana oficjalnie podczas okupacji nie cieszyła się poczytnością, a już na pewno sympatią gnębionej nieludzko ludności. Nie była też reprezentatywna ani wiarygodna, jeżeli chodzi o odzwierciedlenie nastrojów i poglądów, myśli i dążeń, trosk i niepokojów. Fałszowała atmosferę narastającej świadomości mas więzionych w gettach i obozach, coraz bardziej ogarniętych wolą oporu. Tę funkcję spełniała podziemna prasa żydowska, wydawana przez różne ugrupowania — od komunistów aż po najbardziej prawicowe organizacje. Ta właśnie podziemna prasa żydowska, częściowo zebrana i zachowana przez Emanuela Ringelbluma, jest unikalnym i niezwykle ważnym dokumentem okresu okupacji. Ogółem w getcie warszawskim ukazało się w latach 1940—1943 ok. 70 nielegalnych czasopism, w większości organów Bundu, komunistów (w tym Polskiej Partii Robotniczej), Haszomer Hacair, Hechalucu, Poalej Syjon, a także asymilatorów („Żagiew").

W początkowym okresie organizowania „dzielnic żydowskich", a nawet już po obmurowaniu gett u wielu ich mieszkańców zrodziło się złudzenie pewnej stabilizacji. Mimo niesłychanie trudnej sytuacji materialnej i coraz większych prześladowań rozwijało się, szczególnie od poł. 1940 roku, swoiste życie kulturalne. Były dwa aspekty tego osobliwego „rozmachu" kulturalnego. Jeden — to dążenie, mimo tragizmu sytuacji, do przetrwania strasznych lat. Wielu bowiem mieszkańców gett jakby wierzyło w możliwość ocalenia przynajmniej znacznej części ludności, przetrwania właśnie dzięki ożywieniu różnych form życia, w tym i życia kulturalnego. Drugą przyczyną była znaczna liczba szczególnie w getcie warszawskim, literatów, aktorów, muzyków Żydów i Polaków żydowskiego pochodzenia, a także obywateli innych krajów Europy. Ludzie ci dążyli do znalezienia jakiegoś zatrudnienia i zarobku, a zarazem uniknięcia poniżającej godność bezczynności. Trzeba przy tym nadmienić, że Zarząd Główny Związku Artystów Scen Polskich nie rozszerzył bojkotu działalności artystycznej podczas okupacji na getta ze względu na tragiczne warunki życia. Okupant, aczkolwiek z trudem, udzielał koncesji na prowadzenie teatrów i na działalność muzyczną. Ograniczał ją jednak do dzieł twórców żydowskich, lub według ustaw norymberskich zaliczanych do żydowskich, a zabraniał wykonywania dzieł autorów „aryjskich". Zakaz ten zresztą był zręcznie obchodzony, grano np. w języku żydowskim *Skąpca* Moliera, podając na afiszu zamiast autora tłumacza.

Tak więc pod koniec 1940 roku działały już, chociaż w niewymownie trudnych warunkach, teatry grające w języku żydowskim, np. Eldorado, Nowy Azazel i Melody Palace oraz w języku polskim Femina i Nowy Teatr Kameralny. Działał także teatrzyk estradowy o charakterze kabaretowym Na Pięterku. Latem, w zasadzie tylko w roku 1941, organizowano również imprezy w tzw. ogródkach i lokalach, gdzie występowali znani aktorzy, literaci, piosenkarze, muzycy — m. in. Michał Znicz, Stefania Grodzieńska, Jerzy Jurandot, Wiera Gran, Bolesław Norski, „słowik getta" Marysia Ajzensztadt, tancerka Irena Prusicka i liczni muzycy, wśród nich pianista Władysław Szpilman i orkiestra Leopolda Rubinsteina. Na scenkach rewiowych można było zobaczyć m. in. Franciszkę Mannównę, Dianę Blumenfeld-Dybińską, Stanisława Stanisławskiego, Ivo Vesbyego, gwiazdę rewiową Reginę Cukier, utalentowaną aktorkę, piosenkarkę i tancerkę Różę Gazel i wiele innych. W ambitniejszych teatrach grano dzieła klasyki żydowskiej, jak *Bóg zemsty* Szaloma Asza czy też *Wielką wygraną* Szaloma Alejchema, a w języku polskim, w Nowym Teatrze Kameralnym, prowadzonym przez znanego literata i reżysera Andrzeja Marka (Marek Arnsztejn) — *Mirełe Efros*

Jakuba Gordina ze znakomitymi kreacjami Michała Znicza, Leona Rytowskiego i Diany Blumenfeld. Teatr ten wystawił w getcie sztukę A. Marka *Pieśniarzę,* graną przed wojną na scenach polskich i w krajach Europy i Ameryki.

Teatr muzyczny Femina lansował repertuar rozrywkowy. Dysponował własnym chórem i baletem, w którym tańczyły także tancerki polskie. W teatrze tym wystawiano operetki, m. in. z uaktualnionym „gettowym" tekstem (romans piosenkarki z przedstawicielem „wyższych" sfer getta...) — *Księżniczkę Czardasza* z muzyką węgierskiego Żyda Emericha Kalmana. Poza tym dość często dawano okazjonalne koncerty estradowe, z których dochód przeznaczano na cele filantropijne. Bezinteresownie brali w nich udział znani aktorzy, literaci, muzycy.

Interesującą kartę kultury w gettach stanowi życie muzyczne. Muzyków w gettach, przede wszystkim Warszawy, Łodzi i Krakowa było sporo. W murach getta warszawskiego znaleźli się liczni członkowie zespołów orkiestrowych, m. in. Filharmonii Warszawskiej, Teatru Wielkiego, Operetki, Polskiego Radia, a także znani dyrygenci, jak Szymon Pullman, Marian Neuteich, Adam Furmański, Ignacy Waghalter, Izrael Hammerman. Muzycy znajdowali się w tragicznej sytuacji materialnej. Wielu wybitnych instrumentalistów grywało w podwórkowych orkiestrach. Niektórzy organizowali małe zespoły kameralne. Znakomity np. był kwartet smyczkowy: Jakub Messer, Mozes Girkulski, Daniel Krakowski i Zygmunt Bokser, czy też 15-osobowy chór męski pod dyrekcją profesora Zaksa. Dzięki inicjatywie grupy melomanów i muzyków powołano przy wydatnej pomocy Centralnej Komisji Imprezowej przy Żydowskim Towarzystwie Opieki Społecznej — Żydowską Orkiestrę Symfoniczną. W jej skład weszło ponad 70 osób. Nie obyło się bez wielkich trudności, brak było pewnych grup instrumentów, przeważnie dętych, które trzeba było zastąpić innymi, np. saksofonami, co wymagało pracochłonnego przeinstrumentowywania wykonywanych dzieł. Koncerty symfoniczne odbywały się w sali Biblioteki Judaistycznej na Tłomackiem, w salach teatrów Femina i Melody Palace, ale także w salach restauracji „Gospoda" i w Domu Sierot, kierowanym przez Janusza Korczaka. Na koncerty sprzedawano tanie bilety, a dla ubogich wydawano bezpłatne bony. Urządzano też koncerty, z których dochód był przeznaczony na cele dobroczynne.

Repertuar koncertów symfonicznych był zadziwiająco bogaty, grano utwory Beethovena, Mozarta, Czajkowskiego, Chopina, Griega, Aubera, Brahmsa, Haydna i oczywiście utwory kompozytorów nearyjskich, jak Offenbacha, Meyerbeera, Mendelssohna.

Działalność muzyczna w getcie warszawskim napotykała ogromne trudności. Przede wszystkim hitlerowcy zabronili grać kompozytorów aryjskich, co stało się w pewnym sensie pretekstem do likwidacji działalności muzycznej. Jednakże główną przyczyną były ogólne, wręcz nie do pojęcia dzisiaj, warunki wegetacji i oczekiwania na straszliwą zagładę. Działalność koncertowa, mimo interwencji inż. Adama Czerniakowa u władz hitlerowskich, ustała w połowie 1942 roku. Czerniakowowi marzyło się rozwinięcie życia muzycznego, namawiał do wystawienia opery. W grę wchodziły *Opowieści Hoffmana* Offenbacha, *Żydówka* Halévyego lub *Carmen* Bizeta. Możliwości artystyczne, chociaż skromne, istniały, co potwierdzały koncerty z udziałem solistów, wśród których znajdowali się m. in. Romana Lilian, Diana Blumenfeld, Maryla Ajzensztadt, Lena Wolfisz, Helena Ostrowska, Krystyna Golner, Mieczysław Corti. Istniał też zespół baletowy prowadzony przez Renatę Lachs. Na koncertach występowali znani soliści; pianiści Bernard Berkman, Krystyna Dobrzańska-Hosenbal, Ryszard Spira, Zygmunt Wolfsohn, Władysław Szpilman, Hanna Dicksteinówna, Maksymilian Filar, Leon Boruński, Ryszard Werner, Lola Strassberg, Józef Fiszhaut, skrzypkowie Edgar Aftergut, Rafał Broches, Halina Markowicz, Henryk Reinberg, Dawid Zajdel, Ludwik Holcman i wielu innych. Ostatni akord życia muzycznego w getcie warszawskim zabrzmiał na wielkim posiedzeniu 1 VII 1942 roku zwołanym przez prezesa Gminy Adama Czerniakowa, w którym wzięło udział kilkuset czołowych przedstawicieli społeczeństwa żydowskiego. Po wstrząsającym przemówieniu prezesa, przedstawiającego bez osłonek sytuację wszystkich Żydów w getcie, nastąpiła przerwa na herbatę. Tak pisał o tym w swoich wspomnieniach Ludwik Hirszfeld: „W czasie posiedzenia wszedł gestapowiec (...) W czasie przerwy — była to niezapomniana chwila — rozległa się muzyka fortepianowa, wiązanka preludiów Chopina przeplatana akordami «Jeszcze Polska nie zginęła». Żydom zabroniono grać muzyków nieżydowskich, fakt grania Chopina na oficjalnym posiedzeniu posiadał swoją wymowę. Ale pragnąłbym przekazać potomności również, że na tym ostatnim oficjalnym posiedzeniu gminy grano «Jeszcze Polska nie zginęła». Za tę pieśń i artysta, i prezes, i większość obecnych mogła iść do obozu koncentracyjnego. Ale mogę zapewnić, że u nikogo z obecnych nie wyczytałem w oczach obawy — przeciwnie, pieśń ta była wyrazem nadziei i wdzięczności..."

Na mniejszą skalę istniało życie muzyczne w gettach Krakowa i Łodzi. W Krakowie 22 VI 1941 roku odbył się pierwszy koncert arii i pieśni z udziałem śpiewaczki Betty Sklutt i tenora Henryka Aprila. Koncertów odbyło się jeszcze kilkanaście, wykonywano utwory kompozytorów „dozwolonych", Halévyego, Mendelssohna, Offenbacha, Wieniawskiego, Antoniego Rubinsteina itp.

Wśród zamordowanych w getcie krakowskim muzyków znaleźli się m. in. Ryszard Apte, Juliusz, Mieczysław, Hoffman i Dola Hoffmanowie, Stella Margulie, Ziuta Pflaster, Jakub Weissman W połowie 1942 roku w getcie krakowskim zanikła wszelka działalność muzyczna.

W Łodzi ambicje muzyczne były większe. Zorganizowano orkiestrę, którą dyrygowali Teodor Ryder i Dawid Bajgelman. W getcie łódzkim pierwsze imprezy muzyczne odbyły się już na początku 1940 roku. Działał tu także istniejący od dawna świetny chór Hazomir kierowany przez Dawida Bajgelmana. Pod koniec 1941 roku znajdowało się na terenie getta łódzkiego około 60 muzyków, śpiewaków i aktorów. Do połowy 1942 roku dano tu ponad sto koncertów.

W opracowanej liście strat żydowskiego środowiska muzycznego znajduje się ponad 200 nazwisk. Pewną liczbę muzyków zamkniętych w gettach uratowali ich polscy koledzy i przyjaciele.

W gettach także wegetowali, tworzyli i ginęli malarze, graficy, rzeźbiarze. W getcie łódzkim zimą 1941 roku zmarł z głodu i wyczerpania wybitny malarz Maurycy Trębacz (1861—1941). Pozostawił wstrząsające rysunki z getta. Podczas likwidacji getta warszawskiego zginął świetny portrecista Abraham Neuman (1872—1942). Podczas deportacji został zamordowany Roman Kramsztyk (1865—1942), który tuż przed wybuchem wojny przyjechał z Paryża do Warszawy, by odwiedzić matkę. Jego dzieła z getta — to wstrząsające dokumenty zbrodni hitlerowskich. Zginął Henryk Hochman (1881—1942), autor obrazów o tematyce żydowskiej. Wśród ofiar hitleryzmu znaleźli się ponadto bracia Efraim i Menasze Seidenbeutliwie (bliźniacy, 1903—1945), Stanisława Centnerszwerowa (1889—1942), Józef Śliwniak, Henryk Glicensztajn (1870—1943), Adolf Behrman (1880—1943), Jan Gotard (1898—1943), Mojżesz Rynecki (1885—1942), Gela Seksztajn (1907—1942), Józef Kowner (1902—1943), Icchak Wincenty Brauner (1897—1944), Jakub Glazner (1897—1942). Nielicznym tylko udało się przeżyć okupację, należą do nich m. in. Jonasz Stern, Marek Oberländer, Marek Włodarski (Henryk Streng).

Wielu artystów zamkniętych w gettach pozostawiło trwały ślad martyrologii narodu, determinację i bohaterstwo ludzi zamkniętych za murami i za drutami kolczastymi obozów zagłady, ludzi bestialsko skazanych na śmierć. Świadectwo losów i pasji twórczych, mimo głodu, chorób, prześladowań i tortur — pozostawili w rysunkach, akwarelach i szkicach. Autorami tych dokumentów martyrologii byli zarówno znani malarze, jak i mniej znani czy wręcz amatorzy. Wszyscy starali się na swój sposób upamiętnić te okrutne lata.

Niewymierne zbrodnie hitleryzmu doprowadziły nie tylko do zagłady ponad trzech milionów Żydów polskich, ale zniszczyły także w znacznym stopniu wielowiekowy dorobek kultury żydowskiej w

Polsce, kultury, która wszak jest zarazem częścią kultury Żydów w ogóle, jak i kultury zrodzonej i rozwiniętej na ziemiach polskich, a więc kultury polskiej. Na szczęście nie wszystko hitlerowskim zbrodniarzom udało się zniszczyć. To, co pozostało, jest dziedzictwem kultury Żydów w Polsce, dokumentem jej wielkich, humanistycznych wartości.

ZAKOŃCZENIE

Gdy umilkły odgłosy walk powstańczych w getcie warszawskim, w maju 1943 roku, kiedy hitlerowcy dla uczczenia „zwycięstwa" wysadzili 16 maja 1943 roku w powietrze Wielką Synagogę na Tłomackiem, dzieło Leandro Marconiego — wydawało się, że położyli oni kres także kulturze żydowskiej w Polsce. Ale i tym razem, jak i w swoich planach strategicznych drugiej wojny światowej — przeliczyli się. Ich zbrodnie, ludobójstwo i barbarzyńskie niszczycielstwo były bez precedensu w dziejach ludzkości. Ale nie udało im się zniszczyć całego żydostwa polskiego, a już tym bardziej kultury Żydów polskich.

Kiedy dobiegła końca wojna, ocaleni Żydzi polscy zaczęli wychodzić z kryjówek, wracali z lasów, z partyzanckich oddziałów, z szeregów Wojska Polskiego, z zagranicy, ujawniali się też Żydzi ukrywający się na tzw. aryjskich papierach, otrzymywanych dzięki polskiemu podziemiu i Kościołowi.

I z nich powstało po wojnie nowe środowisko żydowskie. Odżyło też życie kulturalne Żydów w Polsce. Obecnie działa w Warszawie i w kilkunastu miastach kraju Towarzystwo Społeczno-Kulturalne Żydów w Polsce, wydawany jest w języku jidysz i polskim tygodnik społeczno-kulturalny „Fołks-Sztyme" (Głos Ludu), w Warszawie działa Państwowy Teatr Żydowski imienia wielkiej aktorki Estery Rachel Kamińskiej.

Pracą naukowo-badawczą nad dziejami Żydów w Polsce i na świecie zajmuje się Żydowski Instytut Historyczny w Polsce, mający swoją siedzibę w odbudowanym po drugiej wojnie światowej gmachu Biblioteki i Instytutu Nauk Judaistycznych przy ulicy Tłomackie (obecnie Aleja gen. Świerczewskiego). Instytut działa pod opieką merytoryczną i materialną Polskiej Akademii Nauk. Od 1950 roku wydaje kwartalnik w języku polskim (ze streszczeniami w języku angielskim i żydowskim) „Biuletyn Żydowskiego Instytutu Historycznego w Polsce", (do końca 1981 roku ukazało się 120 numerów) oraz od 1948 roku periodyk w języku żydowskim „Bleter far Geszichte" (Karty historii, do końca 1980 roku ukazało się 19 tomów, składających się z 43 zeszytów). Przy Instytucie powstało Muzeum Sztuki Żydowskiej. W jego zbiorach znajdują się obrazy m. in.: Maurycego Gottlieba, Maurycego Trębacza, Artura Markowicza, Jana Gotarda, Adolfa Behrmana, Bruno Szultza, Jonasza Sterna, Marka Włodarskiego, rzeźby i metaloplastyka Abrahama Ostrzegi, Józefa Gabowicza, Henryka Glicensztejna, Józefa Śliwiaka, Henryka Kuny, Aliny Szapocznikow, Romualda Gruszczyńskiego. W muzeum znajdują się także bogate zbiory sztuki sakralnej — akcesoria liturgiczne i obrzędowe. W Instytucie stale otwarta jest galeria sztuki i wystawy: *Żydzi w Polsce do 1939 roku* oraz *Martyrologia i walka ludności żydowskiej w latach okupacji hitlerowskiej*. Biblioteka Instytutu posiada ponad 50 tys. voluminów — judaików, semitików i antysemitików, literaturę naukową ze wszystkich dziedzin historii i życia Żydów w Polsce i na świecie. Zbiory te — w języku jidisz, hebrajskim, polskim i we wszystkich niemal językach europejskich są udostępniane zainteresowanym z kraju i z zagranicy. W bibliotece znajdują się także bogate zbiory prasy żydowskiej w różnych językach, kilkadziesiąt encyklopedii żydowskich — również w różnych językach, oraz bezcenny unikalny zbiór, około tysiąca rękopisów i starodruków sięgających X w.

Działa też w Warszawie Kongregacja Religijna Wyznania Mojżeszowego, opiekująca się żydowskimi cmentarzami i synagogami w Polsce i prowadząca działalność religijną.

Więc, chociaż na nieporównywalnie mniejszą skalę — życie duchowe Żydów polskich trwa. Jednym z przejawów tego trwania jest niniejsza książka.

Jeżeli nie jest to wszystko, co Czytelnicy pragnęliby w tej książce znaleźć — autorzy proszą o cierpliwość — nie jest to ostatnia publikacja z tej dziedziny. Ale wydaje się, że i to, co tu powiedziano, daje wyraz bogactwu kultury Żydów polskich, kultury która uchroniła się od zagłady, wzbogacając ogólnoludzki, humanistyczny dorobek ludzkości.

Zwoje Tory

Megilat Ester — Księga Estery, pergamin, Wenecja XVIII w.

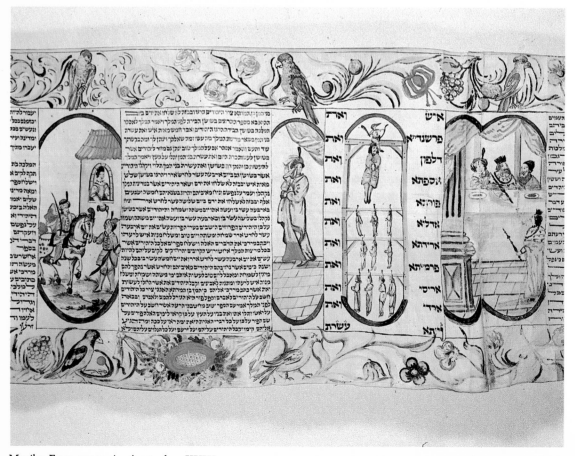

Megilat Ester, pergamin, Amsterdam XVIII w.

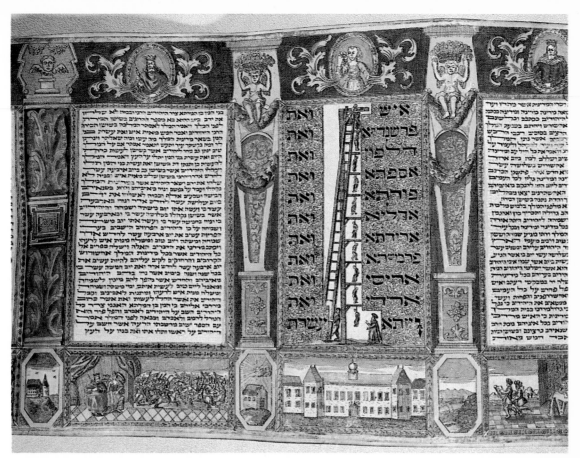

Megilat Ester, pergamin, Włochy XVIII w.

Megilat Ester, pergamin iluminowany przez Natana syna Józefa pisarza Świętych Ksiąg Tory, XVIII w.

Izydor Kaufman, Rabin z ubraną Torą

Tas, srebro, koniec XIX w.

Aron kodesz — szafa ołtarzowa do przechowywania ręcznie pisanego na pergaminie Pięcioksięgu Starego Testamentu.
Stara Synagoga w Krakowie

Jakub Glazner, Wnętrze Starej Synagogi w Krakowie

Parochet — tkanina ołtarzowa, XVIII w.

Okładka do modlitewnika, srebro, XVIII w.

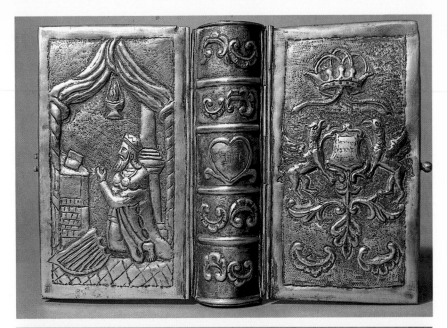

Jarmułka świąteczna, XVIII w.
pierścionek zaręczynowy, XIX w.

Jarmułka świąteczna, XVIII w.

Atara — kołnierz na talid

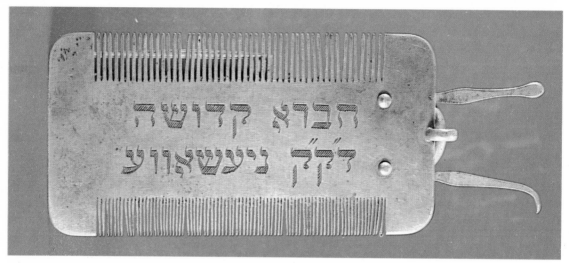

הברא קדושה
דל״ק ניעשאווע

Grzebień Bractwa Pogrzebowego z Nieszawy, srebro, koniec XIX w.

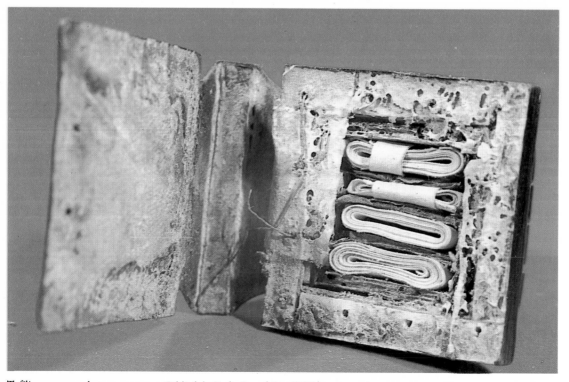

Tefilin — oprawka na wersety z Biblii lub Psalmów, skóra, XIX w.

Puszka kwestarska, srebro, 1901 r.

Kasetka na tefilin, srebro, XVIII w.

Lampka chanukowa, srebro, XVIII w.

Lampka chanukowa, srebro, XVIII w.

Lampka chanukowa, srebro, XVIII w.

Lampka chanukowa, srebro, XIX w.

Lampka chanukowa, srebro, XIX w.

Lampka chanukowa, srebro, XIX w.

Besamin — puszka na wonności,	Besamin, srebro, koniec XVIII w.	Besamin, srebro, 2 poł. XIX w.
srebro, koniec XVIII w.

Besamin, srebro, 2 poł. XIX w.

Besamin, srebro, 2 poł. XIX w.

Puszka na etrog, srebro, XX w.

Puszka na etrog, drewno, XX w.

Talerz szabatowy, srebro, XIX w.

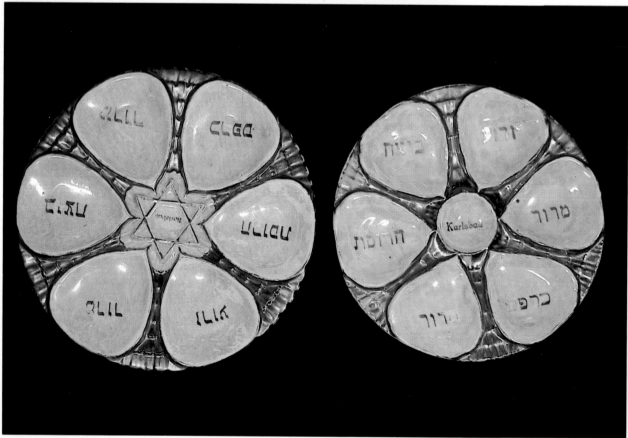

Talerze sederowe, porcelana, XX w.

Torebka na mace, pocz. XIX w.

Mezuzy — oprawki na wersety z Biblii umieszczane na drzwiach, XX w.

Świecznik chanukowy, mosiądz, XX w.

Świecznik chanukowy, srebro, XX w.

Świecznik chanukowy, posrebrzany, XIX w.

Akt ślubny, pergamin, Rzym 1804 r.

Baldachim ślubny, 1891 r.

Kraków. Stara Synagoga. Najstarszy zabytek żydowskiej architektury sakralnej w Polsce

Kraków. Wejście do synagogi Remuh ufundowanej w poł. XVI w. przez kupca Izraela Isserlesa

Tykocin. Synagoga, 1642 r.

Tykocin. Wnętrze synagogi
przed konserwacją

Fragment odrestaurowanych
w latach 1974—1978 ornamentów
i zrekonstruktowanych inskrypcji hebrajskich
z XVII i XVIII w.

Zamość. Wnętrze synagogi, XVII w.

Szczebrzeszyn. Synagoga,
pocz. XVII w.

Szczebrzeszyn. Synagoga,
pocz. XVII w.

Szczebrzeszyn. Wnętrze synagogi

Rzeszów. Synagoga Staromiejska,
pocz. XVII w.

Lesko. Synagoga, XVII w.
Na ścianie szczytowej
cytat z Biblii:
„O jakimże lękiem napawa to miejsc
Nic tu innego, tylko dom Boży
i brama do nieba"

Łęczna. Wnętrze synagogi,
ok. 1648 r.

Łańcut. Wnętrze synagogi,
XVIII w.

Chęciny. Synagoga, XVII w.

Przysucha. Synagoga, XVIII w.

Dąbrowa Tarnowska. Sklepienie synagogi dekorowane polichromią przedstawiającą m. in. znaki Zodiaku

Kraków. Synagoga zwana Tempel, ok. 1862 r.

Kraków. Dom modlitwy
Bractwa Koba Itim l'Tora

Zygmunt Nadel, Żyd w kołpaku

Szymon Buchbinder, Modlący się rabin

Maurycy Gottlieb, Autoportret w stroju wschodnim

Maurycy Gottlieb, Ahaswer

Maurycy Gottlieb, Portret siostry

Maurycy Trębacz, Portret starca

Artur Markowicz, Modlitwa

Adolf Behrman, Nosiwoda

Wilhelm Wachtel, Portret chłopca

Leopold Gottlieb, Portret dr Kupczyka

Leon Lewkowicz, Portret mężczyzny z fajką

Józef Mittler, Po pogromie

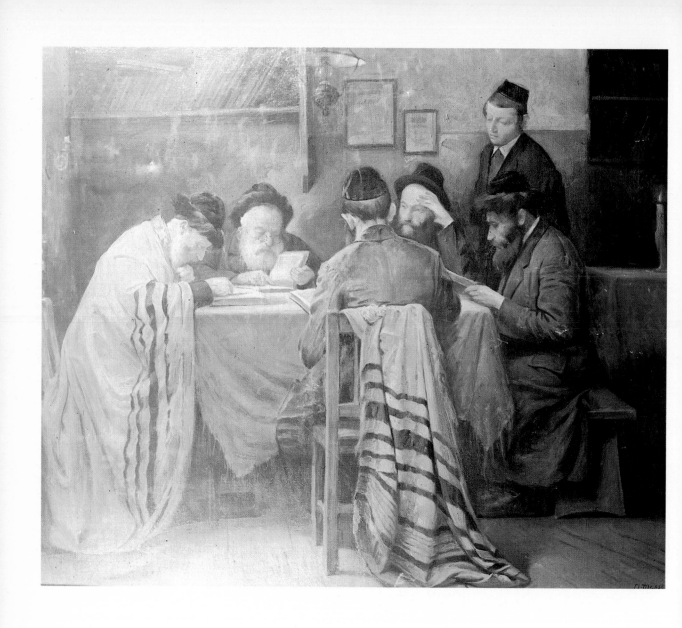

Józef Messer, Nad książką

Rafael Lewin, Stara Synagoga w Wilnie

Max Haneman, Krawiec

Antoni Grabarz, Kuśnierz

Henryk Gotlib, Studium kobiety w kapeluszu

Fryc Kleiman, Żydzi z Torą

Roman Kramsztyk, Portret mężczyzny

Efraim i Menasze Seidenbeutlowie, Portret mężczyzny

Jan Gotard, Bajka o Kopciuszku

Jankiel Adler, Ostatnia godzina Rebego

Jankiel Adler, Skrzypek

Jankiel Adler, Moi rodzice

Eliasz Kanarek, Idylla

Marcin Kitz, Miasteczko

Henryk Berlewi, Dybuk

Adam Muszka, Zielona Basetla

Henryk Berlewi, Szklarz

172

Bruno Schultz, Autoportret

Roman Kramsztyk, Rodzina żydowska w getcie

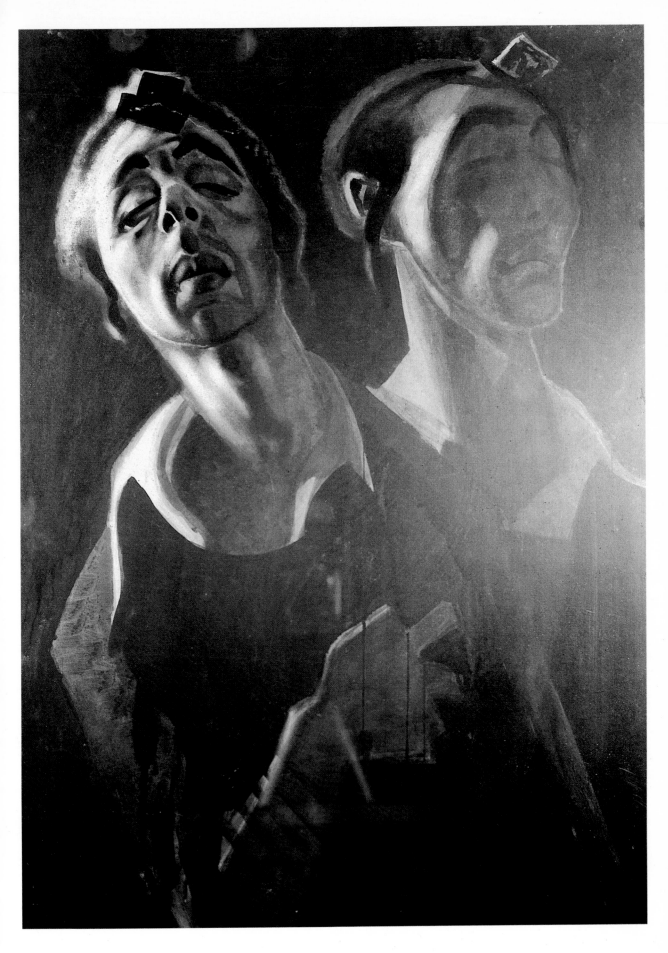

Norbert Strasberg, Ekstaza

Gela Seksztajn, Portret dziewczynki

Marek Oberländer, Nigdy więcej getta

Kraków. Cmentarz Remuh.
Nagrobek Mojżesza Isserlesa
(zm. 1572 r.) wybitnego uczonego,
komentatora Talmudu

Kraków. Cmentarz Remuh. Fragment muru zbudowanego po drugiej wojnie światowej
ze szczątków zniszczonych przez hitlerowców nagrobków

Warszawa. Cmentarz przy ul. Okopowej. Sarkofag Berka Sonnenberga (zm. 1826 r.)
syna znanego kupca Szmula Zbytkowera

Płaskorzeźba zdobiąca sarkofag Berka Sonnenberga, ilustrująca motyw z Psalmu 137 „Nad rzekami Babilonu", dzieło Dawida Friedländera

Warszawa. Grób Samuela Poznańskiego (zm. 1921) kaznodziei i uczonego.
Pomnik wg projektu Henryka Stifelmana

Warszawa. Grób Estery Rachel Kamińskiej (zm. 1925 r.) aktorki i założycielki teatru żydowskiego w Warszawie.
Obok grób aktora Chewela Buzgana (zm. 1971 r.)

Grobowiec pisarzy: Szaloma An-skiego, Jakuba Beniamina Dinesohna i Icchaka Lejba Pereca.
Wzniesiony wg projektu Abrahama Ostrzegi w 1924 r.

Warszawa. Pomnik członków Bundu poległych podczas powstania w getcie.

184

Szydłowiec. Cmentarz

Szydłowiec. Grób kapłana, 1877 r.

Ostrowiec Świętokrzyski. Cmentarz

Lubaczów. Cmentarz

Sieniawa. Nagrobek Jashaskela Halbersztama, 1899 r.

Tarnów. Nagrobek w starej części cmentarza

Tarnów. Nagrobek, XVI w.

Lublin. Grób „Wieszcza z Lublina" — Jakuba Izaaka
Hurwicza (zm. 1815 r.) uważanego za ojca chasydyzmu

עלה המצבה הזאת מצבת
קודש קדושת רבינו גאון עוזנו
מאור עינינו אמרת לבבינו וכל
בית ישראל יבכו את השרפת אור
בעירו סוד שריפת בית אלקינו
הוא יופטיר דתא איש קדוש המקו
פאר הדל מופר הרב החסיד
המפורסם בכל קצוי ארעה מוה
יעקב יצחק סהר במו אברהם
אעזר הלוי הורוויץ זצוקל
אשר דרכים קשים במעוזו רבים
הלכו לאורו ראו ושמחו בנדוד
ושמחה הנהפר ליגון ביום המר
טאבענת ארדע של פק
תנצבה

Lesko. Cmentarz

Leżajsk. Ohel cadyka Elimelecha z Leżajska (zm. 1787 r.), twórcy cadykizmu

Chrzanów. Cmentarz

Ożarów. Cmentarz

Sandomierz.
Pomnik pamięci ofiar wojny
wzniesiony z nagrobków
cmentarnych

Sandomierz. Fragment
pomnika ofiar wojny